МЭРИ ХИГГИНС КЛАРК

Я СЛЕЖУ ЗА ТОБОЙ

МОСКВА
2018

УДК 821.111-312.4(73)
ББК 84(7Сое)-44
Х42

Mary Higgins Clark
I'VE GOT MY EYES ON YOU

Хиггинс Кларк, Мэри.

Х42   Я слежу за тобой / Мэри Хиггинс Кларк ; [пер.
с англ. В. О. Медведева]. — Москва : Эксмо, 2018. —
288 с.

ISBN 978-5-04-097757-4

Кто и за что жестоко убил подающую надежды девушку,
да еще и сразу после устроенной ею вечеринки? Многие абсолютно уверены: убийца — ее парень, ревнивый, властный,
имеющий большие проблемы с самоконтролем. Но тот во весь
голос кричит о своей непричастности, да и доказательства его
вины не очевидны.

Помочь найти виновного может случайный свидетель
преступления. Однако свидетель этот необычный: он говорит
чистую правду, потому что не умеет лгать, — но говорит так,
что установить точную картину крайне затруднительно...

УДК 821.111-312.4(73)
ББК 84(7Сое)-44

ISBN 978-5-04-097757-4

*Элизабет и Лорен,
желаю вам обеим жизни,
полной счастья*

БЛАГОДАРНОСТИ

Закончена еще одна книга. Наступает время поблагодарить всех тех, кто поделился со мной своим опытом и знаниями, кто поддерживал меня с первой минуты и до самого конца. Спасибо всем:

Майклу Корде, моему редактору, который на протяжении сорока лет служит для меня путеводной звездой. Бесконечно благодарю тебя, Майкл.

Мэрисью Русси, главному редактору издательства «Саймон энд Шустер», чей мудрый и проницательный голос ведет меня все это время.

Джону Конхини, замечательному мужу, который больше двадцати лет слушает, как я причитаю, что опять у меня книжка не получается.

Кевину Уайлдеру за то, что он просветил меня, как ведется настоящее расследование убийства.

Келли Оберль-Твид за то, что рассказала мне, как работают школьные психологи.

Майку Дальгрену за то, что объяснил, как действуют колледжи, если к ним собирается поступать нежелательный студент.

Моему сыну Дейву, который работает со мной бок о бок. Основная часть сюжета этой книги — его заслуга.

Моему внуку Дэвиду, у которого синдром ломкой X-хромосомы[1]. Спасибо тебе за то, что вдохновил меня на создание такого персонажа, как Джейми.

И наконец, всем вам, мои читатели. Надеюсь, вас развлечет эта книга. Благослови вас всех Господь!

---

[1] Наследственное заболевание, оказывающее негативное влияние на нервно-психическое развитие и мышечную систему.

1

Джейми сидел у себя в комнате на втором этаже родительского дома в Сэддл-Ривер, Нью-Джерси, — и тут жизнь его изменилась.

Уже некоторое время он наблюдал в окно за участком Керри Даулинг. Керри устроила вечеринку, и Джейми злился, что его не пригласили. Пока они вместе учились в старших классах, Керри всегда была с ним приветлива, хотя он и ходил в спецкласс. Но мама объяснила, что вечеринка, скорее всего, была только для одноклассников Керри, которые через неделю разъедутся по колледжам. Джейми же окончил школу два года назад, и теперь у него была хорошая работа: он заполнял товарами полки в супермаркете «Акме».

Джейми не сказал маме, что, если ребята начнут купаться в бассейне, он все равно пойдет к ним. Он знал, что мама не похвалит его за это. Но ведь Даулинг всегда приглашала его поплавать за компанию. Из окна он видел, как все гости разъехались по домам, а Керри, оставшись одна, принялась прибираться на веранде.

Он досмотрел свое кино. И вопреки маминому запрету решил пойти к Керри и помочь ей.

Проскользнув вниз, где мать смотрела одиннадцатичасовые новости, он перешагнул через низкую ограду, отделявшую их маленький дворик от большого соседского двора.

Тут он увидел, как из леса появился незнакомец, который зашел на участок Керри. Мужчина схватил с шезлонга какой-то предмет и, приблизившись к девушке сзади, ударил ее по голове и столкнул в бассейн. Предмет он отшвырнул прочь.

Нельзя бить людей по голове и сталкивать их в бассейн, подумал Джейми. Он должен попросить прощения, иначе его накажут. Но Керри плавает, а это значит, что я могу поплавать с ней, сказал он себе.

Незнакомец плавать в бассейне не стал. Он убежал со двора и скрылся среди деревьев. В дом он не заходил. Он просто убежал.

Джейми поспешил к бассейну. По дороге он обо что-то споткнулся. Это оказалась клюшка для гольфа. Он поднял ее и положил на шезлонг.

— Керри, это я, Джейми. Пришел поплавать с тобой, — сказал он.

Но девушка промолчала. Джейми начал спускаться по ступенькам в бассейн. Вода была какой-то грязной. Наверное, что-то разлили. Когда до него дошло, что в его новые кроссовки залилась вода, а брючины промокли до колен, он остановился. Даже при том, что Керри всегда разрешала ему плавать вместе с ней, он знал, что мама будет ругаться из-за мокрых кроссовок. Даулинг плавала на поверхности. Парень протянул руку и дотронулся до ее плеча.

— Керри, проснись, — позвал он. Но девушка лишь отплыла в дальний угол бассейна. Тогда он ушел домой.

По телевизору все еще шли новости, и мама не заметила, как он прокрался к себе наверх и лег спать. Джейми понимал, что кроссовки, носки и штаны промокли, поэтому запихнул все вещи на дно шкафа. Он надеялся, что они высохнут, прежде чем мама их обнаружит.

Засыпая, он подумал о том, что Керри, наверное, нравится там плавать.

2

Мардж Чэпмен проснулась после полуночи и поняла, что задремала у телевизора. Она медленно поднялась из своего большого удобного кресла. Артритные колени хрустнули. Джейми родился, когда ей исполнилось сорок пять, после этого она начала полнеть. Стоит сбросить фунтов двадцать пять, рассуждала она, это уменьшило бы нагрузку на суставы.

Она выключила свет в гостиной и перед тем, как лечь спать, заглянула к Джейми. У него было темно, и она слышала, как он ровно дышит во сне.

Мардж надеялась, что он не слишком расстроился из-за этой вечеринки. Увы, она никак не могла защитить своего сына от разочарований.

3

Воскресным утром, без четверти одиннадцать, Стив и Фрэн Даулинг пересекли мост Джорджа Вашингтона, направляясь к себе домой в Сэддл-Ривер, Нью-Джерси. Они ехали молча. Суббота выдалась долгой и утомительной. Друзья из Уэллсли, Массачусетс, пригласили их на турнир по гольфу на двадцать семь лунок для гостей и членов клуба. Заночевав у друзей, они ранним утром отправились в аэропорт Кеннеди встречать свою двадцативосьмилетнюю дочь Эйлин. Та бывала дома лишь наездами, поскольку три последних года жила за границей.

После радостной встречи в аэропорту утомленная перелетом Эйлин заснула на заднем сиденье родительского кроссовера.

— В мои годы пару дней подряд встанешь рано — и это уже сказывается, — подавив зевок, вздохнула Фрэн.

Стив улыбнулся. Он был всего на три месяца моложе жены, но все возрастные вехи, в данном случае пятьдесят пять лет, она отмечала раньше его.

— Интересно, Керри уже встанет, когда мы приедем? — произнесла миссис Даулинг, обращаясь то ли к себе, то ли к мужу.

— Я уверен, она будет стоять на пороге, захочет поприветствовать сестру, — улыбнулся ее супруг.

Приложив трубку к уху, Фрэн в который раз прослушала голосовую почту Керри.

— Наша спящая красавица все еще во власти сновидений, — хмыкнула она.

Стив засмеялся. В отличие от дочерей они с женой спали очень чутко.

Пятнадцать минут спустя они въехали на свою подъездную дорожку и разбудили Эйлин. Полусонная, она поплелась за родителями в дом.

— Боже милостивый! — ужаснулась Фрэн при виде своего обычно прибранного жилища. На журнальном столике и по всей гостиной валялись пустые пластиковые стаканчики и пивные банки. В кухонной раковине около коробок от пиццы она обнаружила бутылку из-под водки.

Окончательно проснувшаяся Эйлин поняла, что родители не на шутку расстроены и рассержены. Она разделяла их негодование. Эйлин была на десять лет старше сестры, и она моментально заподозрила неладное. Если Керри закатила вечеринку, ей что, не хватило мозгов убрать за собой? Или она столько выпила, что просто отключилась?

Эйлин слышала, как мать с отцом, поднявшись наверх, зовут младшую дочь. Вскоре они спустились.

— Керри там нет, — объявила Фрэн, и теперь в ее голосе звучала тревога. — Не знаю, куда она подевалась, но телефон она с собой не взяла. Он лежит на столе. Где же она? — Лицо миссис Даулинг побледнело. — Может, ей стало плохо, и кто-то отвез ее к себе домой или...

— Давайте обзвоним ее подруг, — перебил ее Стив. — Кто-нибудь должен знать, где она.

— Список телефонов ее команды лежит на кухне в ящике! — крикнула Фрэн из коридора. Все лучшие подруги Керри играли с ней в одной команде по лакроссу[1].

«Хоть бы она заночевала у Нэнси или Шинейд, — надеялась про себя Эйлин. — Ей должно было быть совсем худо, если она забыла дома сотовый. Ладно, я пока начну приводить все в порядок». Она направилась в кухню. Мать уже набирала номер под диктовку отца. Эйлин достала большой пакет для мусора из шкафчика.

Решив проверить, что творится на заднем крыльце, на веранде и около бассейна, она направилась туда.

То, что она увидела на крыльце, встревожило ее. На одном из стульев стоял полунаполненный мешок с мусором. Внутри его девушка обнаружила использованные бумажные тарелки, коробку от пиццы и пластиковые стаканчики.

Совершенно очевидно, что Керри начала прибираться. Но что помешало ей закончить?

Эйлин спустилась на четыре ступеньки на веранду и двинулась к бассейну, раздумывая, стоит ли сообщать родителям о своей находке. Бассейн был открыт все лето, и старшая дочь Даулингов мечтала о том, как они с сестрой будут в нем расслабляться, пока Керри не уедет в колледж, а она не приступит к своей новой ра-

---

[1] Спортивная игра с мячом, который разыгрывается стиками — клюшками с сетчатой головкой.

боте. Ее приняли на должность психолога в среднюю школу Сэддл-Ривер.

Клюшка для гольфа, с которой ее родители отрабатывали удары, лежала поперек шезлонга, стоявшего возле бассейна.

Эйлин наклонилась, чтобы подобрать клюшку, и увидела Керри. Ее сестра лежала на дне бассейна, полностью одетая и абсолютно неподвижная.

4

Джейми любил поспать подольше. Его смена в супермаркете продолжалась с одиннадцати до трех, и Мардж накрывала для него завтрак в десять. Когда юноша поел, она напомнила, что он должен подняться наверх и почистить зубы. Спустившись, он одарил ее широкой улыбкой и, получив материнское одобрение, ринулся к двери, чтобы поспеть на «мою работу», как он ее гордо именовал. До супермаркета было двадцать минут хода. Наблюдая, как сын удаляется по улице, миссис Чэпмен не могла отделаться от ощущения беспокойства.

Когда она поднялась наверх, чтобы заправить его постель, то поняла, что не давало ей покоя. На Джейми были надеты старые, стоптанные кроссовки, а не новые, купленные на прошлой неделе. «Что это с ним произошло? — спрашивала себя женщина, приступая к уборке. — Где его новые кроссовки?»

Она прошла в ванную. Ее сын принимал душ и сложил полотенца в корзину для белья, как она его и учила. Однако новых кроссовок и штанов, которые были на нем вчера, нигде видно не было.

Он бы не выбросил вещи, сказала себе Мардж, после чего вернулась в комнату и осмотрелась. Наконец, с облегчением, хоть и не без тревоги, она вытащила скомканную одежду со дна шкафа, где сын ее спрятал.

Носки и кроссовки были насквозь мокрыми. Так же, как и нижняя часть брючин.

Миссис Чэпмен все еще держала в руках свои находки, когда с улицы раздался душераздирающий крик. Поспешив к окну, она увидела, что Эйлин прыгнула в бассейн, а из дома выбежали ее родители.

Она смотрела, как Стив Даулинг последовал за дочерью в воду и вынес оттуда на руках Керри. Эйлин вылезла из бассейна вместе с отцом. Мардж с ужасом наблюдала, как сосед положил младшую дочь на землю и принялся надавливать ей на грудь, крича: «Вызывайте "Скорую"!» Через считаные минуты к дому подлетели полицейские машины и карета «Скорой помощи».

Полицейский оттащил Стива от дочери, и ее обступили прибывшие на «Скорой» медики.

Мардж отвернулась от окна в тот момент, когда полицейский встал с колен, качая головой.

Прошла целая минута, прежде чем Мардж заметила, что все еще держит в руках сырые вещи Джейми. Ей не надо было объяснять, каким образом они намокли. Но зачем ему понадобилось спускаться по ступенькам в бассейн и потом возвращаться обратно? И что это за пятна?

Надо срочно бросить штаны, носки и кроссовки в стиральную машину, а потом в сушилку.

Мардж не понимала, почему каждая клеточка ее организма кричит о том, что она должна поступить именно так. Женщина еще не могла осознать, почему она это делает, но инстинкт подсказывал ей, что таким образом она защищает Джейми.

Вой сирен привлек внимание соседей. Быстро распространилась новость: «Керри Даулинг утонула в бассейне». Многие прямо с утренним кофе в руках поспешили во двор к Мардж Чэпмен, откуда они могли наблюдать за происходящим.

Скромный домик Мардж, построенный в стиле кейп-код[1], был окружен особняками соседей. Они с Джеком приобрели свой домишко на неровном, заросшем деревьями участке тридцать лет назад. Рядом в таких же домиках жили другие работяги. За последние двадцать лет уровень жизни в округе значительно повысился. Один за другим соседи продавали свои участки девелоперам за двойную цену. И только Чэпмен решила остаться на месте. Теперь вокруг стояли дорогие дома, владельцы которых — врачи, адвокаты и бизнесмены с Уолл-стрит — были состоятельными людьми. Все они были милы с

---

[1] Кейп-код — традиционный тип североамериканского загородного дома с симметричным фасадом, деревянной отделкой или деревянным каркасом.

Мардж, но это было уже совсем не так, как в старые времена, когда они с Джеком дружили с теми, кто жил рядом.

Теперь миссис Чэпмен стояла вместе с соседями, прислушиваясь к их разговорам. Некоторые из них слышали музыку со вчерашней вечеринки и видели многочисленные машины, припаркованные около дома и на улице. Однако все присутствующие сходились во мнении, что молодежь не слишком шумела и к одиннадцати все разъехались.

Мардж незаметно вернулась в дом.

Нельзя сейчас ни с кем разговаривать, думала она. Мне нужно время, чтобы все обдумать, сказала она себе. Кроссовки Джейми постукивали в стиральной машине, и от этого звука его мать все больше впадала в отчаяние.

Она спустилась к гаражу, нажала кнопку, открывающую гаражные ворота, и задом выехала на машине на подъездную дорожку. Старательно избегая взглядов соседей, она проехала сквозь толпу зевак, собравшихся у нее во дворе, и мимо многочисленных полицейских, которые заполнили веранду и двор Даулингов.

5

Вытащив тело Керри из воды, Стив положил его на землю и предпринял отчаянные попытки вернуть дочь к жизни. При этом он крикнул Эйлин, чтобы та звонила в службу спасения. Он продолжал делать дочери искусственное дыхание до тех пор, пока не прибыла первая патрульная машина и полицейский, отодвинув его в сторону, не занял его место.

Стив, Фрэн и Эйлин возносили молитвы к небу, наблюдая за полицейским, который встал на колени и продолжил делать искусственное дыхание.

Не прошло и минуты, как на подъездной дорожке с визгом затормозила «Скорая», и из нее выскочили парамедики. На глазах у Даулингов один из них, склонившись над Керри, продолжил попытки восстановить дыхание. Губы девушки были сомкнуты, тонкие руки раскинулись в стороны. С измявшегося красного хлопкового сарафана стекала вода. Родные смотрели на Керри, не веря своим глазам. Ее волосы разметались по плечам.

— Всем будет легче, если вы вернетесь в дом, — сказал им один из полисменов. Эйлин и ее родители молча направились к дому. Они продолжили наблюдать за происходящим, сгрудившись у окна.

Парамедики быстро присоединили к груди Керри датчики, сигналы от которых передавались прямо в реанимационное отделение больницы в Вэлли, и дежурный врач в скором времени подтвердил то, что всем и так уже было понятно: «Нет признаков жизни».

Медик, делавший искусственное дыхание, заметил на шее у Керри следы крови. Он приподнял ее голову и обнаружил у основания черепа отрытую рану.

Врач тут же показал ее старшему полицейскому, который без промедления связался с прокуратурой.

6

В тот день Майкл Уилсон, следователь по убийствам из прокуратуры округа Берген, был дежурным. Удобно устроившись в шезлонге у бассейна своего кондоминиума в Вашингтон-Тауншип, он читал газету и уже начинал дремать, когда его заставил вздрогнуть звонок сотового. Он быстро пришел в себя и выслушал сообщение о своем новом задании. «В бассейне дома номер 123 по Веримус-Пайнс-роуд в Сэддл-Ривер обнаружено тело девушки. Родители отсутствовали, когда она утонула. Местная полиция сообщает, что в доме была вечеринка. Травма головы неизвестного происхождения».

«Сэддл-Ривер граничит с Вашингтон-Тауншип, — подумал Майкл. — Я буду там через десять минут. — Он поднялся и пошел к себе, ощущая на коже запах хлорки. — Первым делом я должен принять душ. Может статься, что работать мне придется ближайшие два часа, или двенадцать, или все двадцать четыре, а то и больше».

Полицейский достал из шкафа чистую футболку с длинными рукавами и штаны цвета хаки. Бросив вещи на кровать, детектив направился в ванную, а десять минут спустя он был уже на пути в Сэддл-Ривер.

Уилсон знал, что к тому времени прокуратура уже выслала на место происшествия фотографа и судмедэксперта. Они приедут вскоре после него.

В Сэддл-Ривер проживало чуть больше трех тысяч человек, и это был один из самых богатых пригородов Америки. Притом что городок был окружен густонаселенными районами, в нем царила атмосфера безмятежности. Каждый дом занимал участок не меньше двух акров, до Нью-Йорка было рукой подать — все это делало его особенно привлекательным для воротил с Уолл-стрит и знаменитых спортсменов. При жизни одним из домов там владел бывший президент Ричард Никсон.

Майк знал также, что до 1950-х годов это место было популярно среди охотников. В прежние времена тут стояли маленькие одноэтажные домики, однако позже они уступили место большим, дорогим особнякам, среди которых попадались и огромные безвкусные «замки».

Красивый, кремового цвета с бледно-зелеными ставнями дом Даулингов был построен в колониальном стиле. На улице перед участком дежурил полицейский — он же организовал парковку для служебных автомобилей. Уилсон поставил машину и направился через лужайку к заднему двору дома. Приблизившись к группе своих коллег из Сэддл-Ривер, он поинтересовался, кто из них приехал на место происшествия первым. К нему вышел офицер Джером Вельд, форма которого еще не просохла на груди.

Вельд доложил, что прибыл по вызову в 11.43. Родственники к тому времени уже извлекли тело из воды. Он не сомневался, что уже слишком поздно, но все-таки сделал жертве искусственное дыхание. Попытка оказалась безуспешной.

Вместе с другими полицейскими они произвели предварительный осмотр участка. Совершенно очевидно, что накануне вечером в доме были гости. Соседи подтвердили, что из дома Даулингов раздавалась музыка, молодые люди сновали из дома на улицу и наоборот, приезжали и отъезжали машины. В общей сложности за время вечеринки на прилегающей улице парковалось от двадцати до двадцати пяти машин.

— Я позвонил в ваш офис, — продолжил офицер, — когда обнаружил на голове у жертвы большую рану. Во время осмотра участка мы нашли около бассейна клюшку для гольфа со следами крови и волос.

Майкл подошел и, склонившись, внимательно изучил клюшку. Как и сообщил коп, к ее головке прилипло несколько длинных, покрытых кровью волос, а на ручке виднелись брызги крови.

— Упакуйте это, — велел Уилсон. — Отправим ее на экспертизу.

Пока он общался с полицейским, прибыла судмедэксперт. Шэрон Рейнольдс работала с Майком по нескольким убийствам. Он представил ее офицеру Вельду, который кратко ввел ее в курс дела.

Рейнольдс, встав на колени перед телом, начала делать снимки. Она подняла платье, которое было надето на Керри, чтобы рассмотреть, нет ли на теле колотых ран или следов от ударов, а затем изучила ее ноги. Не обнаружив повреждений, Шэрон перевернула тело и продолжила фотографировать. Отодвинув волосы Керри в сторону, она сняла глубокую рану у основания ее черепа.

7

Переодевшись, Стив и Эйлин спустились в гостиную, где их ждала Фрэн. По всей комнате все еще валялись одноразовые стаканы и использованные бумажные тарелки. Офицер Вельд сказал им ничего не убирать, пока криминалисты из прокуратуры не закончат осмотр территории и самого дома.

Стив сел рядом с женой и обнял ее. Так они и сидели неподвижно на диване, пока в конце концов Фрэн не задрожала и не разразилась громкими рыданиями.

Они обнялись. Огромное, неизбывное горе соединило их.

— Но как она могла упасть в бассейн прямо в одежде?! — вопрошала миссис Даулинг.

— Мы же знаем, что она прибиралась на веранде. Может, она наклонилась, чтобы поднять что-нибудь из воды, да и свалилась. Скорее всего, было уже поздно, она, должно быть, устала, — предположил ее муж. Он не стал делиться с женой и дочерью опасениями, что Керри могла упасть в бассейн из-за того, что была пьяна.

— Бедная Керри, бедная девочка... — тихо плакала Эйлин. Последние три года, пока старшая дочь Даулингов жила за границей, она регулярно поддерживала связь с сестрой. Но она и представить себе не могла, что больше никогда не увидит и не услышит Керри. И еще Эйлин не могла поверить, что ей опять придется столкнуться с неожиданной смертью близкого человека.

Рыдания Фрэн постепенно перешли в сдержанные всхлипывания.

Раздался звонок, и незапертую дверь открыли. Пришел монсиньор Дель Прете, или отец Фрэнк, как его все называли. Шестидесятилетний пастор церкви Святого Гавриила был их приходским священником. Очевидно, ему уже сообщили, что произошло, потому что он с порога обратился к хозяевам со словами соболезнования. Они встали ему навстречу, и после рукопожатий он пододвинул стул и тихо произнес, что хотел помолиться за Керри.

— Господи, во времена великой скорби... — начал он.

Когда молитва закончилась, миссис Даулинг не выдержала:

— Ну как Господь допустил, чтобы такое с нами произошло?!

Отец Фрэнк снял очки, достал из кармана мягкую тряпочку и, протирая стекла, заговорил:

— Фрэн, когда случается трагедия, этот вопрос задает себе каждый. Как мог любящий нас и всемилостивейший Господь не защитить нас и наших близких в момент, когда мы больше всего в нем нуждались? Я буду честен с вами. Я сам ищу ответ на этот вопрос. Самый лучший ответ я получил на проповеди одного старого священника много лет назад. Он путешествовал по Ближнему Востоку и был поражен великолепием персидских ковров. На этих прекрасных творениях рук человека столь искусно вытканы чудесные узоры. Но однажды он зашел в лавку, где эти ковры были выставлены на продажу. Он обошел один из ковров, подвешенных на крюках к потолку, и был неприятно удивлен, когда на изнанке ковра увидел спутанные концы нитей. Такая красота с одной стороны и полный беспорядок с другой, но все это части единого плана. В этой жизни нам предстает только оборотная сторона ковра. Нам неведомо, как и почему наши невыразимые страдания становятся частью прекрасного узора. Поэтому так важно сохранять веру.

Тишину, последовавшую за этим рассказом, нарушил стук в дверь на заднем крыльце. Пока Стив поднимался, в коридоре раздались шаги. В комнату вошел мужчина лет тридцати с небольшим, рыжеволосый, с проницательными карими глазами.

— Я детектив Майк Уилсон из прокуратуры округа Берген, — представился он. — Сочувствую вашей утрате. Я могу задать вам несколько вопросов? Нам нужно собрать общую информацию.

Отец Фрэнк встал и предложил следователю зайти попозже.

Но Даулинги в один голос попросили его остаться. Кивнув, он сел на место.

— Сколько лет вашей дочери? — начал детектив.

— В январе ей исполнилось восемнадцать, — ответила Эйлин. — Она только что окончила среднюю школу.

Вопросы были деликатными, и ответить на них не составило труда. Стив и Фрэн подтвердили, что они являются родителями Керри, а Эйлин — ее старшей сестрой.

— Когда вы в последний раз связывались с дочерью — по телефону, через СМС или электронную почту? — продолжил расспросы Уилсон.

Даулинги припомнили, что это было часов в пять предыдущего вечера. Стив объяснил, что они ночевали у друзей в Массачусетсе, а рано утром поехали в аэропорт Кеннеди встречать Эйлин, прилетавшую из Лондона.

— Вы знали о том, что в вашем доме проходила вечеринка? — уточнил Майкл.

Ответ, естественно, был отрицательным.

— Есть свидетельства того, что на вечеринке было спиртное. Ваша дочь употребляла алкоголь или наркотики?

Фрэн этот вопрос возмутил.

— Нет, наркотики она точно не принимала, — сказал Стив. — Но думаю, что время от времени она позволяла себе выпить с друзьями пива или бокал вина.

— Мы хотим пообщаться с ее подругами. Вы можете сообщить их имена?

— Большинство ее подруг были членами школьной команды по лакроссу, — сказал Даулинг. — На кухне есть список с телефонами. Я могу принести. — Он замолчал, а потом добавил: — Вы что-то конкретное хотите у них узнать?

— Да. Насколько нам известно, в вашем доме вчера было много народу. Мы собираемся выяснить, кто были эти люди и что происходило на вечеринке. У вашей дочери серьезная рана на затылке. Мы должны понять, откуда она появилась.

— Могла она упасть и удариться головой?

— Такое возможно. И есть вероятность, что ее ударили. Как только мы получим результат экспертизы, мы будем знать больше.

«Кто-то нанес ей удар по голове, — промелькнуло в голове у Эйлин. — Так полиция думает, что ее убили».

— На одном из шезлонгов, стоящих у бассейна, лежала клюшка для гольфа. Есть основания думать, что она могла быть орудием преступления, — продолжил Майкл.

— Что вы хотите этим сказать? — тихо спросил Стив.

— Мистер и миссис Даулинг, — начал Уилсон, — у нас станет больше информации, когда будет готово заключение судмедэкспертизы, но я вынужден сообщить вам, что мы рассматриваем смерть вашей дочери как подозрительную и будем расследовать ее соответствующим образом.

Все еще пытаясь осознать услышанное, Эйлин произнесла:

— Я не могу поверить, что кто-то из ребят, приглашенных вчера к нам в дом, мог навредить Керри.

— Я понимаю, что вы чувствуете, — согласился детектив. — Но наш долг все проверить.

Немного помолчав, он продолжил:

— Еще один вопрос. Был ли у нее бойфренд, кто-то особенно близкий?

— Да, был, — выложила правду Фрэн. — Его зовут Алан Кроули. Он относился к Керри как к своей собственности, и у него ужасный характер. Если кто и навредил моей девочке, так это он.

Майк Уилсон не изменился в лице.

— Я могу увидеть тот список? И я также хотел бы узнать имена ее ближайших подруг.

— Я вам помогу, — спокойно произнес Стив.

— И еще одно. Мы не обнаружили сотовый телефон вашей дочери среди ее вещей. Вы не знаете, где он может быть и можем ли мы его забрать?

— Да, конечно. Он на столе в столовой, — ответила Фрэн.

— У меня в машине лежат бланки. Я попрошу вас подписать официальное согласие, чтобы я мог забрать телефон и изучить его содержимое.

— Код на телефоне ноль-один — двенадцать, — сообщила Эйлин. Глаза ее наполнились слезами. — Это месяц ее рождения и моего тоже, — девушка вытащила свой телефон и включила его. — Детектив Уилсон, вчера утром я получила от Керри сообщение: «Когда ты приедешь, я расскажу тебе нечто ОЧЕНЬ ВАЖНОЕ».

Майкл подался вперед.

— Вы имеете представление, о чем идет речь?

— Нет, простите. Керри была склонна драматизировать события. Я предположила, что она имеет в виду своего парня или что это как-то связано с колледжем.

— Эйлин, возможно, в ходе следствия мне понадобится еще раз с вами поговорить. Вы планируете возвращаться в Лондон?

— Нет, — покачала головой Эйлин. — Я приехала насовсем. На самом деле я буду работать психологом в школе Сэддл-Ривер.

Майк еще немного помолчал, а потом обратился к присутствующим:

— Я понимаю, насколько все это ужасно для вас. Я хочу попросить вас о помощи. Ни с кем не делитесь информацией о ране на голове у Керри и о наших предположениях по поводу клюшки для гольфа. В ближайшие дни и недели, пока мы будем опрашивать других людей, критически важно, чтобы как можно меньше подробностей произошедшего становилось достоянием общественности.

Даулинги и отец Фрэнк закивали головой в знак согласия.

— Я еще пообщаюсь с вами перед уходом, — добавил следователь. — И пожалуйста, ничего не трогайте, пока наши специалисты не закончат осмотр и не примут решение о том, что нам понадобится изъять в интересах следствия.

8

Вернувшись в дом, чтобы подписать форму согласия на изъятие сотового телефона и лэптопа, детектив Уилсон поговорил с полицейскими, которые проводили осмотр жилища и участка Даулингов. Сев в машину, он набрал код сотового убитой девушки и нажал на иконку для СМС. Первые четыре коротких сообщения были от девушек, благодаривших Керри за прекрасную вечеринку. Одна из них выражала надежду, что Керри наладит отношения с Аланом, в то время как другая советовала бросить «этого придурка» и не переживать из-за ссоры. Майк переписал имена всех четырех девиц в список участников вечеринки, которых он собирался опросить.

Затем полицейский открыл переписку с Аланом. Пролистав в самое начало, он стал читать сообщения в порядке их поступления.

Алан в 22.30: *«Надеюсь вы с Крисом наслаждаетесь друг другом. Я в "Нелли". Так хотелось вмазать ему. И тебе!»*

Керри в 22.35: *«Спасибо, что испортил мне вечеринку. Выставил себя КОЗЛОМ. Я не твоя собственность. И разговариваю с кем хочу. Сделай одолжение. Исчезни из моей жизни».*

Алан в 23.03: *«Прости, что не сдержался. Хочу тебя увидеть. Не нравится мне, что Крис будет доставать тебя в БК. Тебе не стоило так делать сегодня».* Майк подумал, что БК должно было означать «Бостонский колледж».

Керри в 23.10: *«Не приходи. Устала! Закончу уборку и лягу спать. Поговорим завтра».*

Этот мяч сам закатится в ворота, подумал Уилсон, имея в виду, что раскрыть это дело будет несложно. Ревнивый бойфренд. Она готова двигаться дальше. Он — нет. По крайней мере, одна из ее подруг советует ей расстаться с ним.

Майк отложил телефон, вошел в базу Отдела регистрации транспортных средств на бортовом компьютере и набрал «Алан Кроули, Сэддл-Ривер». Через секунду на экране возникло изображение водительского удостоверения Кроули.

Следующий звонок детектив сделал капитану, возглавлявшему убойный отдел прокуратуры. Он доложил вкратце о том, что ему удалось узнать в доме Даулингов, и о стычке между Керри и ее парнем во время вечеринки.

— В обычных обстоятельствах я бы опросил остальных гостей, прежде чем ехать к бойфренду, — добавил Уилсон. — Но я не хочу, чтобы он успел связаться с адвокатом. Он живет тут, в Сэддл-Ривер. В пяти минутах от меня. Нутром чую, что надо с ним поболтать не откладывая и зафиксировать его показания.

— А ты уверен, что он совершеннолетний? — уточнил капитан.

— В его правах написано, что ему стукнуло восемнадцать в прошлом месяце.

Последовала пауза. Майк знал, что, пока босс думает, перебивать его не стоит. И ему также было известно, что, несмотря на то что по закону Кроули был совершеннолетним, судьи имели тенденцию проявлять снисхождение к тем, кому только исполнилось восемнадцать.

— Добро, Майк. Позвони мне, как пообщаешься с ним, — сказал наконец капитан.

Улица, где жили Кроули, была густо засажена деревьями. Дом был большим, белым, с черепичной крышей и темно-зелеными ставнями. Весьма внушительный на вид, подумал Уилсон. Площадь ухоженного участка вокруг особняка была, пожалуй, больше двух акров. Пахнет большими деньгами, решил он. На обочине подъездной дорожки был припаркован садовый трактор.

Майкл позвонил в дверь. Ответа не последовало. Он подождал с минуту и позвонил снова.

Алан Кроули подстригал газон, и ему стало жарко. Он пошел в дом за водой. Глянув на сотовый, который он оставил на столе в кухне, парень увидел там кучу оставленных голосовых сообщений, пропущенных звонков и СМС. Направляясь к двери, он на ходу открыл телефон. Ему достаточно было прочитать первое же сообщение, чтобы весь кошмар происходящего начал засасывать его в свою пучину.

В дверь опять позвонили. Керри была мертва. По слухам, ее убили. Копы опрашивают соседей и выясняют имена тех, кто был на вечеринке накануне вечером. Они неминуемо узнают о том, что они с Керри поругались.

Алана охватил ужас. Он дошел до двери и открыл ее.

Стоявший на пороге мужчина представился и показал жетон, висевший на цепочке у него на шее.

— Я детектив Майк Уилсон из прокуратуры округа Берген, — произнес он дружелюбным тоном. — Вы Алан Кроули?

— Да.

По выражению лица молодого человека Уилсон понял, что тот уже знает о смерти Керри.

— Вам известно, что произошло с Керри Даулинг? — спросил он.

— Знаю ли, что она умерла?

— Да...

— Почему вы пришли сюда?

— Я выясняю, что случилось с Керри. Я опрашиваю всех, кто был на вчерашней вечеринке. Мы можем с вами недолго пообщаться?

— Думаю, да. Хотите войти в дом?

— Алан, давайте проедем в мой офис в Хэкенсэке. Там нам никто не помешает. Вы не обязаны ехать со мной, но это существенно облегчит ситуацию. Давайте. Я вас отвезу. И да, Алан, пока мы не уехали, вы помните, что было на вас надето во время вечеринки?

— Помню, а что?

— Такова процедура.

Кроули на мгновение задумался. «Лучше я буду помогать следствию, чем ударюсь в глухую оборону, — решил он. — Мне не о чем беспокоиться».

— На мне были майка с логотипом Принстона, шорты и сандалии, — ответил молодой человек.

— Где все это находится?

— У меня в комнате.

— Вы не могли бы сложить эти вещи в пакет и отдать их мне на несколько дней? Таковы формальности. Вы не обязаны это делать, но я был бы вам весьма признателен за содействие следствию.

— Ну да, понимаю, — неохотно согласился Алан.

— Я пройду с вами, — дружелюбно предложил Майк.

Шорты, майка и трусы лежали сверху в корзине для белья. Кроули сложил их в небольшую спортивную сумку, а потом прихватил сандалии и сунул их туда же. С сотовым в одной руке и сумкой в другой он деревянной походкой проследовал за детективом к машине.

Майк Уилсон не намеревался допрашивать Алана, пока они не окажутся в офисе. Он понимал, что чем лучше ему удастся расслабить парня, тем больше тот скажет под запись на камеру, и поэтому по дороге завел с ним дружелюбный разговор.

— Алан, на участке Даулингов я заметил клюшку для гольфа. Даулинги, должно быть, всерьез увлекаются гольфом. Ты сам-то играешь?

— Я тренировал удары и немного играл. Весной и летом я играю в бейсбол, и на гольф у меня времени просто не хватает.

— Во время вечеринки у Керри кто-нибудь брал клюшку?

— Я видел, как кое-кто из ребят баловался с клюшкой. Но я ее не трогал.

— На тебе вчера была майка с логотипом Принстона. Это имеет какое-то значение?

— О да, — сказал Алан, уставившись в окно машины. — В тот день, когда я узнал, что меня приняли, мама заказала на их сайте разные вещи с университетским логотипом для меня и теннисную форму для себя и папы. Они так обрадовались, когда меня приняли.

— Ну, это замечательное достижение. Ты и твои родители должны очень гордиться этим. Ты, наверное, ждешь не дождешься начала учебы в колледже?

— Я жду не дождусь отъезда из дома, хоть в Принстон, хоть куда.

Их разговор прервал зазвонивший телефон Уилсона. Через громкую связь ему доложили:

— Майк, у нас девяностотрехлетний мужчина найден мертвым в своей квартире в Форт-Ли. Признаков проникновения нет.

Детектив отключил динамик и поднес телефон к уху, чтобы выслушать сообщение.

Кроули был рад, что их беседа прервалась. Ему нужно было время подумать. Он постарался восстановить поминутно все, что с ним произошло.

Ссора с Керри началась из-за того, что Крис вился вокруг нее и предлагал помочь ей устроиться в Бостонском колледже. Да еще он послал это *Так хотелось вмазать тебе!*.

«Я отправился к "Нелли", потому что знал, что ребята будут там, — подумал молодой человек. — А потом я протрезвел. Мне захотелось помириться, и я скажу, что поэтому я и предложил помочь ей прибраться. Керри ответила, что она слишком устала, чтобы заниматься уборкой. Но я все равно поехал к ней».

При этой мысли кровь застыла у него в жилах. «Они же думают, что это *я* убил Керри! Детектив постарается склонить меня к признанию». Парень стал судорожно искать варианты ответов и придумал только одно: «Ребята из "Нелли" должны меня прикрыть. Если они скажут, что я пробыл с ними до 23.45, проблем у меня не возникнет. Я приехал домой около полуночи. Мать с отцом были дома. Мама пожелала мне спокойной ночи из своей спальни. Я ехал быстро. Добрался меньше чем за десять минут. За это время я бы не успел побывать у Керри на другом конце города и попасть домой. Я попрошу парней сказать, что я был с ними до самого ухода из "Нелли". Они мне не откажут». Эта уверенность успокоила Алана. Всю дорогу до комнаты для допросов он старался держать себя в руках. Первые вопросы были простыми. Как долго они с Керри встречались?

— Думаю, мы с Керри вместе около года. Ну да, мы ссоримся, — признался Кроули. — Иногда Керри начинает первой. Ей нравится, когда я ее ревную.

— Вчера вечером вы тоже поссорились?

— Да, но это было не всерьез. Этот парень, Крис, пытался встрять между нами. Всю дорогу не давал Керри прохода.

— Готов поспорить, это тебя разозлило, — заметил Уилсон.

— Поначалу, но потом я остыл. Такое и раньше случалось, но всегда заканчивалось миром. Как я уже сказал, Керри любит вызывать во мне ревность.

«Это не так страшно, как я опасался», — думал юноша, отвечая на вопросы полицейского.

— Алан, многие люди злятся, когда ревнуют. А ты? — продолжал допрашивать его Майкл.

— Иногда. Но я быстро прихожу в себя.

— Хорошо. Во сколько ты уехал с вечеринки?

— Примерно в двадцать два тридцать.

— Как долго ты там пробыл?

— Я пришел около семи.

— Алан, важно, чтобы ты ответил на мой следующий вопрос. Ты употреблял наркотики или алкоголь до или во время вечеринки?

— Наркотики я не принимаю. Их на вечеринке не было. Я выпил пару банок пива.

— Ты уехали один или с кем-то?

— Нет, я сел в машину один.

— Куда ты направился?

— Через десять минут я был в «Нелли» в Волдвике и ел пиццу с друзьями, которые уже сидели там.

— Кто были эти друзья?

— Бобби Вален, Рич Джонсон и Стен Пирс, мои друзья по бейсбольной команде.

— Они тоже были на вечеринке?

— Нет.

— Ты планировал встретиться с ними в «Нелли»?

— Нет, но я знал, что они собирались пойти в кино, а потом туда. Я был почти уверен, что они будут там.

— В какое время ты приехал в «Нелли»?

— Примерно в двадцать два сорок.

— Как долго ты там пробыл?

— Я поел и оставался с ними около часа.

— Что ты делал после этого?

— Я отправился прямиком домой.

— Ты покинул ресторан вместе с друзьями?

— Да, мы вышли оттуда вместе.

— В котором часу ты был дома?

— Около полуночи, ну, может, чуть раньше.

— Дома кто-нибудь был?

— Да, мои родители. Они смотрели телевизор в спальне. Я пожелал им спокойной ночи.

— Они слышали, как ты вернулся?

— Да, мама мне ответила из спальни.

— В какое-либо время, после того как ты покинул вечеринку в двадцать два тридцать, возвращался ли ты в дом Керри?

— Нет, определенно нет.

— Ты звонил или писал Керри, после того как покинул вечеринку?

— Я ей не звонил, но послал ей сообщение, и она мне ответила.

— Это касалось вашей ссоры?

— Да, мы оба вышли из себя.

Уилсон не стал дальше развивать эту тему, потому что он уже видел их переписку в телефоне Керри. Он также прекрасно понимал, что получит разрешение суда на изучение других звонков и посланий Кроули.

— Алан, есть еще пара вопросов, — попросил Майк. — У тебя ведь есть мобильный телефон?

— Разумеется, есть.

— Назови, пожалуйста, номер.

Молодой человек продиктовал набор цифр.

— Итак, Алан, ты был на вечеринке в доме Керри, потом пошел к «Нелли» и оттуда прямиком поехал домой. Все это время телефон был при тебе?

— Да.

— Алан, у Даулингов во дворе валялась клюшка для гольфа. Ты видел, как кто-нибудь брал ее в руки?

— Я вам уже говорил, что некоторые ребята тренировались на лужайке.

— А ты лично держал ее в руках вчера вечером?

— Я не отрабатывал удары, нет.

— То есть ты не притрагивался к клюшке?

— Нет.

— Алан, вчера был теплый вечер. Кто-нибудь купался в бассейне?

— Пока я был там, никто.

— А ты сам купался в бассейне?

— Нет.

— Алан, пока ты здесь, я хочу попросить тебя сэкономить нам время в будущем. У нас находятся вещи, изъятые из дома Керри, на которых есть отпечатки пальцев. Я хотел бы определить, кому именно они принадлежат. Ты готов к тому, чтобы мы сняли твои отпечатки, прежде чем уйдешь? Ты не обязан это делать, но очень облегчишь нам работу.

«Снять отпечатки пальцев, — подумал про себя Алан. — Они точно решили, что это сделал я. — Допросная как-то сразу сжалась в объеме. — А дверь заперта? И зачем я согласился сюда приехать?» Парень судорожно старался не показать своей паники, но отказаться снимать отпечатки побоялся.

— Думаю, это можно сделать, — сказал он.

— И последнее, Алан, мы хотели бы взять мазок слюны с твоей щеки. Так мы получим твою ДНК. Ты не против?

— Ладно. — Кроули на ватных ногах последовал за Уилсоном в другое помещение, где отсканировали его отпечатки и взяли мазок.

— Алан, я ценю твое сотрудничество, — сказал ему затем следователь. — У меня последняя просьба. Не мог бы ты оставить мне твой сотовый телефон на несколько дней?

Не на шутку испугавшись, парень вытащил из кармана телефон и положил его на стол.

— Хорошо. Но теперь я хочу поехать домой.

За те двадцать минут, что они возвращались в Сэддл-Ривер, ни один из них не проронил ни слова.

9

Как только Уилсон довез его, Алан тут же поспешил в дом. Его родители еще не вернулись после гольфа. Он рванулся в гостиную к городскому телефону и замер на минуту, вспоминая номер Рича. Рич Джонсон ответил с первого звонка.

— Рич, это Алан. Где Стен и Бобби?

— Они у меня, в бассейне.

— Слушай, меня возили в прокуратуру. Детектив расспрашивал про нашу ссору с Керри. Я сказал, что был с вами, пока мы все вместе не уехали из «Нелли». Вы должны пообещать, что прикроете меня. Иначе они решат, что это я убил Керри. Ты же знаешь, я бы никогда не причинил ей вреда. Ты это знаешь. Попроси парней прямо сейчас.

— Они все слышат. Ты на громкой связи.

— Рич, попроси их. Попроси!

Кроули услышал, как трое его друзей ответили:

— Конечно, прикроем. Мы с тобой. Не беспокойся.

— Спасибо, парни. Я знал, что могу на вас положиться.

Алан положил трубку и дал волю рыданиям.

Закончив разговор, Бобби, Рич и Стен переглянулись. Все трое пытались проанализировать, что именно произошло накануне вечером. Им до сих пор трудно было поверить, что Керри мертва.

Как и Алану, им вскоре предстояло уехать в колледж. Они сходили в кино и потом решили съесть пиццу в «Нелли».

Они сидели в ресторане, когда в 22.45 туда ввалился Алан. Им достаточно было взглянуть на него, чтобы понять: их друг ужасно зол. Он сел к ним за стол и знаками показал официантке, указывая на заказанные пиццы своих товарищей, что хочет самую обыкновенную.

Всем было очевидно, что Кроули выпивал. Рич выразил надежду, что он приехал в ресторан на такси.

— Нет, я в порядке, — туманно ответил Алан.

К тому времени большой зал почти опустел. Все посетители в барной зоне, где был их столик, собрались вокруг телевизора и смотрели игру «Янки» против Бостона. Шло дополнительное время матча. Было очень шумно, и за криками и аплодисментами с соседних столиков невозможно было расслышать, о чем они говорили.

Первым прервал молчание Стен Пирс:

— Алан, ты же пьян. Тут бывает довольно много полицейских. Волдвикское отделение прямо за углом.

— Не переживай! — огрызнулся Кроули. — Все будет нормально. Я доберусь до дома.

— Что тебя так достало? — раздраженный тоном приятеля, спросил Бобби Вален. — Еще нет и одиннадцати. Как там вечеринка у Керри? Все уже закончилось?

— Хреново, — ответил Алан. — Я ушел. Этот придурок Крис Кобел терся вокруг Керри. Я велел ему отвалить, но Керри на меня наехала.

— Она остынет, — заметил Бобби. — Вы двое вечно то ссоритесь, то миритесь.

— Не на этот раз. Я стою рядом, а этот Крис говорит ей, что они должны переехать в колледж одновременно, чтобы он помог ей устроиться. Он нагло клеился к ней и плевать хотел, что я все слышу.

Троица не успела отреагировать на сказанное, потому что телефон Алана звякнул, сигнализируя о принятой СМС. Сообщение было от Керри, и Кроули принялся двумя пальцами набирать ответ.

Официантка принесла дымящуюся пиццу, и Алан заказал себе еще колу. Поглощая ломти пиццы и запивая их газировкой, он заметно успокаивался и трезвел. Трое его друзей чувствовали, как обмен эсэмэсками становился все более миролюбивым. Они стали следить за игрой, где обе команды сделали в двенадцатом иннинге по три хоум рана[1].

---

[1] И н н и н г — в бейсболе отдельный период игры; х о-у м - р а н — ситуация, когда благодаря отбивающему он и игроки его команды могут пробежать полный круг по полю.

Минут пятнадцать спустя Кроули отодвинулся от стола.

— Керри сказала, что выгонит всех к одиннадцати часам. Сейчас уже двадцать минут двенадцатого. Я заскочу к ней, чтобы объясниться.

— Отлично, — сказал Бобби.

— Удачи, — добавил Стен.

— Ты уверен, что тебе стоит садиться за руль? — спросил Рич. — Может, останешься и досмотришь игру?

— Я в порядке, — Алан категорически дал понять, что разговор окончен.

Минуту спустя подошла официантка с чеком Кроули. Не увидев его за столом, она спросила:

— Кто-нибудь из вас заплатит за него?

— Давайте мне, — предложил Рич. — Я завтра с него возьму. Конечно, если он вспомнит, что приходил сюда.

Через двадцать минут «Янки» заработали победный ран, и пришла пора расходиться. Троица села в машину Стена, который и развез остальных по домам.

10

Забирать Джейми с работы было еще слишком рано, поэтому Мардж Чэпмен, сев на скамью в церкви Святого Гавриила, принялась молиться. В два тридцать она подъехала на парковку супермаркета «Акме» и постаралась встать так, чтобы увидеть сына в тот момент, когда он выйдет из магазина.

Оставшиеся полчаса она продолжала молиться.

— Милостивая Матерь Божия, пожалуйста, помоги Даулингам справиться с этой трагедией. И умоляю, пусть Джейми не имеет к этому никакого отношения. Если бы ты мог помочь нам, Джек! Ты ему так нужен! — Эту молитву она вновь и вновь обращала к своему покойному мужу, умершему от инфаркта пять лет назад. — Господи, Ты ведь знаешь, что он никогда никого не обидит. Но если он думал, что это такая игра, он ведь такой сильный — пожалуйста...

Ее преследовал образ Джейми, который удерживает Керри под водой. А что, если Джейми увидел, как она плавает в бассейне, и начал спускаться по ступенькам в воду? Может, она проплывала рядом, и он схватил ее. У них была такая игра: кто дольше пробудет под водой. Допустим, он удерживал ее там, пока она не...

Мучительные раздумья Мардж были прерваны появлением ее сына. Он вышел из магазина, неся в каждой руке по тяжелому пакету с продуктами. Она наблюдала, как он шел за пожилой женщиной, как они подошли к ее машине и он стал терпеливо ждать, пока она откроет ключом багажник. Затем Джейми поднял набитые пакеты и осторожно положил их внутрь багажника. Он такой сильный, подумала с содроганием Мардж.

Закрыв багажник, ее сын направился через всю парковку к заказному лимузину и поздоровался за руку со своим коллегой Тони Картером, который садился на заднее сиденье. Мардж слышала, как Джейми пожелал Тони хорошо провести время, и лимузин укатил прочь.

Когда сын увидел ее, его лицо озарила довольная улыбка. Юноша помахал матери, как обычно, выставив вперед ладонь и оттопырив назад пальцы, и двинулся к ее машине. Открыв дверцу, он сел рядом.

— Мам, ты приехала за мной, — ликующе объявил Джейми.

Мардж наклонилась, чтобы поцеловать его и поправить светлую прядь, упавшую ему на лоб.

Но довольная улыбка испарилась с лица молодого человека, и его голос стал очень серьезным:

— Мам, ты на меня сердишься?

— За что мне на тебя сердиться, Джейми? — отозвалась женщина.

Тревожное выражение не сходило с лица ее сына. Разглядывая его в этот момент, Мардж в который раз подумала, какой же он красавец.

У Джейми были голубые глаза и правильные черты лица, как и у отца, от которого он также унаследовал высокий рост и идеальную осанку. Вся разница была только в том, что во время тяжелых родов его мозг был на какое-то время лишен кислорода, и от этого в нем возникли необратимые повреждения.

Чэпмен видела, как сын пытается вспомнить, чем он мог ее расстроить.

— Я промочил кроссовки, носки и джинсы, — неуверенно произнес он. — Я прошу прощенья. Хорошо?

— А как же ты их промочил, Джейми? — спросила Мардж. Она старалась говорить спокойно и сделала паузу, прежде чем повернуть ключ в замке зажигания.

— Не сердись на меня, мам, — умоляюще посмотрел на нее юноша.

— Ну-ну, Джейми, — торопливо ответила его мать. — Я вовсе на тебя не сержусь. Просто ты должен мне рассказать о том, что произошло, когда ты пошел к бассейну Керри.

— Керри плавала, — ответил парень, потупив взгляд.

«Она была в одежде, — подумала Мардж. — Я же видела, как Стив выносил ее из бассейна».

— Ты видел, как она плавала в бассейне? — спросила она вслух.

— Да, она пошла плавать, — ответил Джейми, избегая смотреть матери в глаза.

Когда он ее видел, она могла быть еще жива, сообразила Мардж.

— Джейми, ты спросил у Керри разрешения поплавать вместе с ней? — продолжила она расспросы.

— Да, спросил.

— Что она тебе ответила?

Некоторое время молодой человек смотрел прямо перед собой, стараясь восстановить в памяти картинку вчерашнего вечера.

— Она сказала: «Джейми, ты всегда можешь прийти и поплавать со мной в бассейне». Я сказал: «Спасибо, Керри. Ты очень добра ко мне», — рассказал он, наконец.

Мардж вздохнула про себя. Со временем у ее сына всегда была путаница. Воспоминание о месте, которое они посетили неделю назад, могло смешаться с воспоминанием о том, как они были там год назад. Состоялся этот разговор с Керри вчера вечером или в какой-то из предыдущих дней, когда она приглашала его поплавать в бассейне вместе с ней?

— Джейми, а почему ты купался прямо в брюках и кроссовках?

— Прости, мам. Я больше не буду. Я обещаю. Хорошо? — по мере того как парень говорил, голос его становился все более громким и агрессивным.

— Джейми, вы с Керри играли во что-нибудь в бассейне?

— Керри опустилась под воду надолго. Я сказал: «Керри, проснись. Это Джейми».

— Ты помог Керри, когда она была в воде?

— Я всегда помогаю Керри. Я ее друг.

— А когда вы играли, ты удерживал Керри под водой?

— Я же сказал, прости меня, мам. Хорошо? — Юноша был уже на грани. — Мне надо идти.

— Все в порядке, Джейми, — успокоила его Мардж, видя, что сын начинает замыкаться. Но ей надо было придумать, как его защитить. —

Джейми, — спросила она бодрым тоном, — ты умеешь хранить секреты?

— Я люблю секреты, — ответил ее сын. — Это как подарки на день рождения.

— Точно. Ведь когда мы покупаем подарок кому-нибудь на день рождения, мы никому не рассказываем о нем, — подхватила Мардж. — А это секрет про то, как вы с Керри вчера плавали в бассейне. Мы можем сохранить его от всех?

Перекрестившись, Джейми торжественно произнес:

— Не сойти мне с этого места!

И он широко улыбнулся.

Его мать вздохнула. Пока этого было достаточно.

— Поедешь со мной домой, Джейми? — предложила она.

— Можно я посмотрю на тренировку?

Мардж понимала, что он имеет в виду футбольную или любую другую тренировку, которая шла на школьном поле.

— Да, можно. Я тебя туда довезу. Но после приходи прямиком домой.

— Я приду, мам. И я никому не скажу, что был в бассейне — пообещал молодой человек и, словно пытаясь переменить тему разговора, добавил: — Тони Картер с отцом едут на рыбалку.

Надеюсь, они словят там только простуду, подумала миссис Чэпмен. Она слышала, как Карл Картер говорил, что единственная проблема Джейми была в том, что «у него голова прикручена недостаточно крепко». Мардж не забыла и не простила ему подобного высказывания.

— Здорово, — выдавила она из себя.

Пока они ехали, Джейми смотрел в окно на дома, мимо которых они проносились. «Это секрет, — говорил он себе. — Я никому не скажу, что купался вместе с Керри. Я никому не расскажу, что намочил кроссовки, штаны и носки. И я никому не расскажу о том Здоровяке, который ударил Керри и столкнул ее в бассейн. Потому что это тоже секрет».

11

Едва въехав на подъездную дорожку, Даг Кроули начал раздражаться.

— Я же велел Алану скосить газон к нашему возвращению. Только посмотри! Лужайка подстрижена лишь наполовину.

Недовольство Джун было вполне под стать возмущению ее мужа. Их активные занятия теннисом помогали им поддерживать хорошую физическую форму. Оба они были невысокими. Даг был ростом пять футов и девять дюймов, и его волосы с проседью были зачесаны так, чтобы прикрыть растущую лысину. С лица мужчины не сходило сердитое выражение. А каштановые, до плеч волосы его жены никак не смягчали ее тонких губ и нахмуренных бровей.

Им было по тридцать три года, когда они поженились. К тому времени у Джун был диплом медицинской сестры Рутгерского университета, а Даг трудился инженером по программному обеспечению. Их объединила мечта о красивом доме, членстве в загородном клубе и пенсии в шестьдесят лет. Они сами были людьми целеустремленными и требовали того же от своего единственного сына.

Незаконченная к их приезду работа и газонокосилка, оставленная посреди лужайки, одинаково раздражали и Джун, и Дага. Миссис Кроули шла за мужем по пятам, когда он двинулся в дом, выкрикивая имя Алана. Когда тот не откликнулся, супруги прошли через комнаты и обнаружили рыдающего сына на незаправленной кровати. Вместе они принялись его тормошить.

— Алан, что произошло? В чем дело?

Поначалу младший Кроули был не в состоянии дать вразумительный ответ. Наконец он посмотрел на родителей:

— Тело Керри нашли в бассейне, и полиция думает, что это сделал я.

— Почему они думают на тебя?! — практически заорал Даг.

— Потому что мы поссорились на вечеринке. Куча народу это слышала. И сюда приезжал детектив, и он...

— Здесь был детектив?! — вскрикнула Джун. — Ты с ним разговаривал?

— Да. Недолго. Он отвез меня в прокуратуру и там допрашивал.

Кроули-старший посмотрел на жену:

— А он вообще имел на это право?

— Я не знаю. Ему уже исполнилось восемнадцать. — Женщина глянула на сына. — Алан, что именно случилось с Керри?

Срывающимся голосом сын пересказал им то, что знал сам. Утром Керри обнаружили в бассейне.

— Они считают, что ее ударили по голове, столкнули в воду и она утонула, — закончил он свой рассказ.

Джун хотела было сказать сыну, что они понимают, как дорога была Керри Алану. Но для этого будет время позже. Прямо сейчас, после всего того, что они узнали, ее единственной и главной задачей станет защита сына любыми доступными способами.

Расспрашивая его о случившемся, миссис Кроули все больше впадала в отчаяние.

12

Подбросив Джейми до школы, Мардж Чэпмен двинулась в сторону дома. Ее соседка Грейс наблюдала за ней со своего крыльца. Едва завидев Мардж, соседка замахала рукой.

— Нет, ты можешь в это поверить? Эту бедную девочку Керри убили. Она устроила вечеринку для подростков, пока ее родители были в отъезде. Полиция теперь опрашивает всех соседей. К тебе тоже приходили. Меня спросили, знаю ли я, кто живет в этом доме. Я рассказала им про тебя и Джейми, но сказала, что не в курсе, где вы.

Чэпмен попыталась скрыть беспокойство.

— Грейс, ты говорила что-нибудь про Джейми? — спросила она.

— Я объяснила, что Джейми очень милый молодой человек со специальными потребностями и что он больше не учится в школе. Я поняла так, что они собираются встречаться со всеми, кто мог что-нибудь видеть.

— Скорее всего, — согласилась Мардж. — Увидимся позже.

Когда спустя несколько часов Джейми вернулся домой, от его матери не скрылось, что что-то угнетает его. Ей не пришлось спрашивать его, в чем дело, потому что он сам объяснил причину:

— Девушки из футбольной команды были расстроены, потому что Керри улетела на небо.

— Джейми, к нам придет полицейский, он хочет поговорить, потому что Керри стало плохо в бассейне и она улетела на небо. Не забудь, ты не должен говорить про то, что ты ходил к бассейну, — напомнила Мардж.

Не успела она договорить, как раздался звонок в дверь. Джейми отправился к себе наверх, а его мать пошла открывать. На пороге стоял не полицейский в форме, а мужчина в штатском костюме.

— Я детектив Майк Уилсон из прокуратуры округа Берген, — представился он.

— Да, проходите, детектив, — ответила хозяй-ка дома, приглашая его пройти в гостиную. — Мы можем тут пообщаться.

Они уселись в кресла друг напротив друга, и Майкл начал:

— Я уверен, вам известно, миссис Чэпмен, что сегодня утром вашу соседку Керри Даулинг нашли мертвой в домашнем бассейне.

— Да, я в курсе, — со вздохом ответила Мардж. — Ужасная трагедия. Такая чудесная девушка!

— Миссис Чэпмен, насколько я понимаю, вы с сыном живете в этом доме?

— Да, мы вдвоем.

— Находились ли вы оба дома вчера вечером после одиннадцати часов?

— Да, мы были дома.

— Кто-нибудь, кроме вас, тут был?

— Нет, только мы.

— Позвольте мне пояснить, почему я хотел бы поговорить именно с вами и вашим сыном. Когда меня вызвали сегодня в дом к Даулингам, я встал около бассейна и огляделся вокруг. И чет-ко увидел над деревьями окно вашего дома. Это означает, что любой, кто находился в той комна-те, мог видеть что-то, что помогло бы нам в рас-следовании этого дела.

— Да-да, конечно, — согласилась Мардж.

— Я хотел бы попасть в эту комнату. Как она используется?

— Это спальня.

— Ваша спальня?

— Нет, это спальня Джейми.

— Я могу с ним поговорить?

— Разумеется.

Хозяйка подошла к лестнице и позвала сына. Детектив перебил ее:

— Если вы не против, миссис Чэпмен, я бы поговорил с Джейми у него в комнате.

— Да, пожалуйста, — согласилась Мардж, поднимаясь по ступенькам. Уилсон пошел за ней следом. Она осторожно постучала в дверь спальни сына и затем вошла. Парень смотрел видео, лежа на кровати.

— Джейми, познакомься с детективом Уилсоном, — сказала его мать.

— Привет, Джейми, — произнес Майк, протягивая руку.

Молодой человек поднялся.

— Рад с вами познакомиться, сэр, — сказал он, пожимая руку гостю, и посмотрел на мать. Ее улыбка подтвердила, что он ведет себя как положено.

Джейми и Мардж присели на кровать, а полицейский подошел к окну. Участки Даулингов и Чэпменов соседствовали. Майкл посмотрел на бассейн Даулингов и сел на стул, стоявший напротив кровати.

— Джейми, я хотел бы поговорить с тобой всего несколько минут. Ты ведь знаком с Керри Даулинг? — спросил он.

— Да. Она улетела на небо.

— Именно так, — улыбнулся Уилсон. — Она отправилась на небеса. Но ее родители и полиция хотят понять, что с ней произошло, прежде чем она улетела на небо. У Керри в доме проходила вечеринка.

— Керри меня не пригласила.

— Я знаю, что тебя там не было. Джейми, я только...

— Пригласили только выпускников. А я старше их. Мне двадцать лет. Недавно исполнилось.

— Я поздравляю тебя с днем рожденья, Джейми. — Следователь вернулся к окну. — Джейми, я отсюда вижу двор Керри и бассейн. Это означает, что, если ты был в комнате вчера вечером, ты тоже мог это видеть.

— Я не плавал с Керри, — сказал Джейми, глядя на мать с заговорщической улыбкой.

— Я знаю, что ты не плавал, Джейми, — улыбнулся Майк. — Ты видел, как Керри наводила вчера порядок во дворе?

— Я помогаю наводить порядок в «Акме», я там работаю с одиннадцати до трех часов.

— То есть вчера ты не видел Керри во дворе или в бассейне?

— Я не плавал с Керри. Честное слово, — повторил юноша и, обняв мать, поцеловал ее.

— Ладно. Спасибо, Джейми. Миссис Чэпмен, я оставлю вам свою визитку. Люди иногда вспоминают подробности. Если вам или Джейми вспомнится что-нибудь, что может помочь следствию, пожалуйста, свяжитесь со мной.

Чэпмены спустились вниз и проводили Уилсона до входной двери. Как только Мардж закрыла ее, Джейми одарил мать торжествующей улыбкой и воскликнул:

— Я сохранил секрет!

Приложив палец к губам, хозяйка дома зашикала на него. Она в ужасе представила, как детектив задержался за дверью и услышал крик ее сына. С колотящемся в горле сердцем она приблизилась к окну, выходившему на крыльцо. И с облегчением увидела, что Уилсон уже прошел по подъездной дорожке и садится в машину.

Майк завел двигатель, но задумался, прежде чем трогаться с места. Почему у него было такое чувство, что ответы Джейми были заранее отрепетированы?

13

Майк Уилсон сосредоточился на опросе четырех девушек, чьи сообщения он обнаружил в телефоне Керри. Тем временем его коллеги из прокуратуры обошли дома других ее гостей. В большинстве случаев при беседе с ними присутствовали мать, или отец, или оба родителя сразу. Обычно они садились на диван по обе стороны от своего отпрыска, причем настолько плотно, что прижимались друг к другу руками.

Чтобы как-то их расслабить, проводивший опросы детектив Харш начинал со слов:

— Я хочу сразу разъяснить вам, что целью этого расследования не является обвинить или арестовать вашего несовершеннолетнего ребенка за употребление алкоголя. Нам известно, что многие из гостей в тот вечер выпивали. На участке Даулингов обнаружены бутылки из-под пива и водки в большом количестве. У нас нет информации о том, принимал ли кто-либо наркотики. Мы обязаны спросить, употребляли ли вы алкоголь или наркотики, потому что это могло повлиять на ваше восприятие происходившего тогда или на ваши воспоминания сегодня. Но повторю еще раз, мы не ставим целью привлечь вас по этим причинам. Мы конкретно хотим узнать, произошли ли во время вечеринки какие-либо ссоры или драки, особенно с участием Керри Даулинг.

На вечеринку был приглашен тридцать один человек. Восемь девушек стали свидетелями ссоры между Керри и Аланом. Никто из опрошенных девушек, по их словам, не выпил больше пары банок пива. И все они решительно отрицали употребление наркотических веществ.

Одна из девушек, Кейт, называвшая себя лучшей подругой Керри, со слезами рассказала:

— Алан разозлился, потому что Крис Кобел ухлестывал за Керри и болтал про то, как они будут веселиться в Бостонском колледже. Было ясно, что он хотел встречаться с Керри. И я надеялась, что это так и произойдет. Я всегда считала, что Алан — придурок.

— Почему вы так считали? — уточнил Харш.

— Потому что он собственник. Я слышала, как в июне, когда Кроули узнал, что Крис пригласил Керри на выпускной, он сказал Крису, что Керри его девушка и чтобы Крис никогда больше ее никуда не приглашал. Я говорила Керри, что Крис намного лучше Алана и ей надо опомниться и бросить Кроули. На вечеринке Алан выпил много пива. Он устроил разборку с Крисом. Керри встряла между ними и принялась кричать на Алана. Он сорвался и ушел, хлопнув дверью.

— Как на это отреагировала Керри?

— Ну, она некоторое время выглядела расстроенной, но потом пожала плечами и сказала: «Забудьте».

— Во сколько ушел Кроули?

— Точно не знаю. Было десять тридцать, может, без четверти одиннадцать.

— Потом он возвращался?

— Нет.

— А когда все разошлись?

— Мы ушли около одиннадцати. Пока соседи не начали жаловаться в полицию на шум.

— Кто-нибудь остался, чтобы помочь Керри убраться?

— Она сказала, что сама справится. Она лишь просила, чтобы все припаркованные на улице машины разъехались до одиннадцати. Керри очень переживала, что копы заявятся в разгар вечеринки.

— У меня еще два последних вопроса. В тот вечер вы выходили на веранду?

— Да, конечно.

— Вы видели там клюшку для гольфа?

— Ну да, видела. Даулинги — большие фанаты гольфа. У них на боковой лужайке есть специальная площадка для отработки ударов. Коекто из ребят потренировался там в тот вечер.

14

Нереальность случившегося с Керри была доминирующим ощущением тех нескольких ночных часов в воскресенье, во время которых Эйлин пыталась вздремнуть. Все, что происходило после того, как тело Керри вытащили из бассейна, казалось лишь саундтреком, прокрученным в ускоренном режиме.

Полицейский делает Керри искусственное дыхание и качает головой.

Детектив проводит их всех в дом.

Попытка осознать немыслимое.

Отец Фрэнк старается придать смысл кошмару.

Соседи один за другим предлагают свою помощь. Помощь в чем?

Дедушка Даулинг слишком слаб, чтобы приехать из дома престарелых во Флориде.

Родители мамы прилетают завтра.

Люди несут еду, к которой Даулинги едва могут притронуться.

Мама плачет не переставая.

Перекошенное от горя побелевшее лицо и сжатые губы отца. Он пытается утешать маму и Эйлин.

Усталость после перелета и смены часовых поясов позволила ей недолго поспать.

А потом началась суматоха.

В семь утра Эйлин поднялась и, отбросив в сторону одеяло, выбралась из постели. Пасмурная погода, грозившая дождем, была под стать ее состоянию.

Девушка перехватила волосы трикотажной резинкой, но за ночь та сползла. Она подошла к зеркалу, стоявшему на комоде напротив кровати. Возникло чувство, что Керри стоит тут же, рядом, смотрит на свое отражение. У Керри были золотистые волосы, как у мамы. Сияющие голубые глаза. Идеальные черты лица.

Эйлин была папиной дочкой, унаследовавшей его карие глаза, узкое лицо и темные волосы. «Цвета почвы», — называла она их про себя.

Глаза у нее были грустными, а сама она сильно побледнела. Пижама повисла на ней, как на вешалке. Она знала, что, увидев ее, Керри спросила бы: «А это что за драная кошка?» При этой мысли на губах у Эйлин мелькнула улыбка.

Она бесшумно прошла на кухню и заварила кофе. Тед Голдберг, врач и знакомый родителей по гольф-клубу, побывал у них накануне вечером и прописал им снотворное. Эйлин надеялась, что родители приняли таблетки перед сном и это помогло им в какой-то мере восстановить душевные силы.

Вчера днем она взяла на себя миссию оповестить о трагедии родственников и друзей. Некоторые были уже в курсе, увидев сообщение в новостях. На страницу ее сестры на «Фейсбуке» потоком поступали соболезнования, что было большой поддержкой. Вечером соседи приготовили и принесли им ужин. Есть никто не хотел, они едва прикоснулись к еде.

В шесть тридцать отец включил телевизор. В новостях показывали их дом. Главной темой дня было убийство Керри. Отец поспешно выключил.

Обычно по утрам, появившись на кухне, Эйлин тут же начинала смотреть новости. Но услышать опять про Керри ей совсем не хотелось. Не сейчас. Никогда.

Свой телефон она оставила в гостиной еще вчера, когда закончила всех обзванивать. Поэтому девушка отправилась с кружкой кофе в руке в гостиную. Там она обнаружила в голосовой почте сообщение, оставленное незнакомым голосом. Его записали всего час назад. Оно было от Майка Уилсона, детектива, который вел дело Керри. Эйлин вспомнила его. Симпатичный, ростом больше шести футов, проницательный взгляд темно-карих глаз, стройный, атлетически сложенный. И эта манера чуть наклониться вперед и сложить руки, словно для того, чтобы не пропустить ни одного произнесенного слова.

Она прослушала его сообщение. *«Мисс Даулинг, я понимаю, как вам сейчас нелегко, но мне нужна ваша помощь. Надеюсь, я звоню не слишком рано. Как я понял, вы работаете психологом в школе Сэддл-Ривер. Я думаю, что вы могли бы быть очень полезной следствию. Пожалуйста, позвоните мне, как только сможете».*

Не пытаясь проанализировать, чем именно она может помочь расследованию, Эйлин тут же перезвонила. Майк Уилсон узнал ее по голосу и сразу перешел к делу.

— Из того, что я успел узнать, на вечеринке присутствовали примерно тридцать человек, и думаю, почти все имена нам известны. Я так понимаю, большинство были одного года выпуска с Керри, что означает, что скоро они разъедутся по колледжам. Мне нужно узнать, в какие колледжи они отправятся и когда. По понятным причинам я бы хотел сначала поговорить с теми, кто уедет раньше. Вы поможете мне?

— Хорошо, что вы позвонили, — ответила Эйлин. — Я совсем забыла, что должна сегодня к часу дня пойти в школу для ознакомительной беседы. Может, я и смогу быть вам полезной. Сегодня у меня будет тренинг по использованию компьютерной системы.

— Так вы планируете туда пойти?

— Честно говоря, мне не помешало бы немного отвлечься. Вы спрашиваете, когда начинается учеба в колледжах? В южных колледжах к занятиям приступают в середине августа. Те, кто туда поступил, уже уехали. Католические школы начинают работать после Дня труда[1]. В Лиге Плюща[2] год начинается в середине сен-

---

[1] Отмечается в первый понедельник сентября.
[2] Объединение восьми престижных частных университетов.

тября. А основная часть остальных — примерно в это время, в последнюю неделю августа.

— Я вам очень благодарен. Мне жаль, что я вынужден просить вас о помощи на следующий день после...

Девушка не дала собеседнику закончить:

— Я рада, что могу как-то поучаствовать. Пришлите мне имена, и я сообщу, в какие колледжи они поступили.

— Это было бы замечательно, мисс Даулинг.

— Пожалуйста, называйте меня Эйлин.

— Хорошо, Эйлин. И еще одна просьба. В ваших записях есть даты рождения? Я должен знать, кто из них еще не достиг совершеннолетия, а кто уже считается взрослым.

— Я могу это узнать. Вся информация будет у вас после обеда.

Пока Эйлин парковала машину на пустой школьной стоянке, в секторе, забронированном за преподавателями, ее не покидало странное ощущение.

Она постучалась в приоткрытую дверь директора школы. Пэт Тарлетон быстро поднялась из-за стола, подошла и обняла ее.

— Мне жаль, дорогая. Как вы и ваши родители справляетесь?

— Мы в шоке и пытаемся осознать случившееся. Я подумала, что будет лучше, если я попытаюсь сфокусироваться на чем-то постороннем. Поэтому я не стала отменять сегодняшнюю встречу.

Пэт усадила Эйлин рядом с собой за стол, откуда они обе могли видеть большой экран ее компьютера, и протянула ей бумажку.

— Здесь записан пароль доступа в ваш компьютер. Позвольте я покажу вам, как это работает.

Даулинг быстро усвоила инструкции директрисы. К счастью, подобной системой пользовались в Международной школе. Когда они закончили, Тарлетон вручила ей список, который она специально распечатала для Эйлин.

— Это имена всех учителей и персонала школы и их контактная информация.

Просмотрев список, девушка была приятно удивлена, что большинство ее преподавателей все еще работали в школе.

— Я будто вернулась домой, — заметила она, пытаясь улыбаться.

15

Мардж была в растерянности. Понял ли детектив, что Джейми не говорил всей правды? Сын так смотрел на нее в поисках одобрения, что это можно было истолковать двояко. А детектив Уилсон производил впечатление умного человека.

Обычно, расстраиваясь, миссис Чэпмен бралась за четки. Прежде чем прочитать «Скорбные тайны, молитву в Гефсиманском саду», она вспомнила о Джеке. Его образ навсегда сохранился в ее памяти и сердце. Они повстречались в парке развлечений в Рае. Джек тогда учился в выпускном классе в школе Олл-Хэллоуз, а Мардж только поступила в старшие классы Сент-Джинс. Она жила в Бронксе и в школу на 75-й Ист-стрит на Манхэттене добиралась на метро, а он жил на 200-й Вест-стрит и в сентябре собирался поступать в Фордхэм. Мардж сообщила ему, что через два года будет поступать в Мэримаунт.

«Мы не разлучились ни на минуту, пока его группа не села обратно на судно, а нас не позвали в автобус монашки, — вспоминала теперь миссис Чэпмен. — Джек казался мне самым красивым мужчиной на свете, высоким блондином с голубыми глазами. Джейми — вылитая копия Джека. Джек сказал мне, что фамилию Чэпмен можно увидеть на очень старых могилах на Кейп-Коде, где похоронены его предки. Они прибыли не на «Мэйфлауэре»[1], они приплыли в Америку вскоре после этого, объяснил Джек. Он так гордился этим, — с нежностью подумала она. — А мой отец происходил из ирландской фермерской семьи Роскоммонов. Он был младшим сыном, и это означало, что наследником станет его старший брат. Поэтому, когда ему стукнуло двадцать, он попрощался с родителями, сестрами и братьями и отплыл в Нью-Йорк. Там он повстречал мою мать, они поженились, когда ей было девятнадцать, а ему — двадцать два. Нам с Джеком было столько же, когда мы поженились. Мне исполнилось двадцать, и я бросила кол-

---

[1] Британский корабль, на котором в 1620 г. прибыли так называемые отцы-пилигримы, основавшие одну из первых английских колоний в Америке — Плимутскую.

ледж после второго курса. Джеку же стукнуло двадцать четыре. Он ушел из колледжа после первого курса, решив вместо этого получить лицензию электрика. Ему нравилось работать в строительном бизнесе. О, Джек, как же ты мне сейчас нужен! Мы уже оставили надежду родить ребенка, когда в сорок пять я забеременела. После всех лет надежд и ожиданий мы уже приняли тот факт, что Господь не пошлет нам детей — это было чудом. Мы были так счастливы.... А потом мы чуть не потеряли Джейми во время родов. Ему не хватило кислорода, но это был наш ребенок».

Джек умер от инфаркта, когда Джейми исполнилось пятнадцать. Бедный мальчик все смотрел на отца и звал: «Папа!»

«Джек, мне нужна твоя помощь, — молилась Мардж. — Может, Джейми считал, что он играет с несчастной Керри. Но ее ударили по голове. Он бы никогда этого не сделал. Я уверена в этом. Однако копы могут повернуть все по-другому, если узнают, что он был в бассейне с Керри. Можешь себе представить, что он сядет в тюрьму? Как ему будет страшно и как там обращаются с такими, как он? Этого нельзя допустить. Просто нельзя».

Мардж посмотрела на четки. Когда она приступила к молитве, Джейми вышел из своей комнаты, где смотрел телевизор.

— Я никому не сказал, что я плавал с Керри, — объявил он. — Это ведь хорошо?

16

Эйлин любила дедушку и бабушку. Им было уже под восемьдесят, и из-за бабушкиного хронического артрита они переселились в Аризону. Их появление в доме добавит одновременно и комфорта, и нервотрепки, не сомневалась девушка.

Едва шагнув за порог, бабушка тут же запричитала:

— Это должна была быть я! За что пострадало это чудесное дитя?! Почему? Почему? — повторяла она, сгорбив плечи и вцепившись скрюченными артритом пальцами в свою трость.

Эйлин чуть было не сказала: «Потому что ты не плаваешь в бассейнах!» Дед, сильный и здоровый для своего возраста, заметил:

— Я так понял, что она пригласила гостей, пока вы были в отъезде. Вот что бывает, когда дети остаются без присмотра.

Это было, скорее, обвинение, а не утешение.

— Я столько раз предупреждала Стива, — подхватила Фрэн.

Эйлин обменялась с отцом понимающим взглядом. Она знала, что ее дед с бабкой по материнской линии всегда считали, что мама должна была выйти замуж за мужчину, с которым она была недолго обручена тридцать лет назад. Он уехал в Силиконовую долину и стал миллиардером. А отец Эйлин, партнер в финансовой компании, неплохо зарабатывал, но у него не было частного самолета, яхты и особняка в Коннектикуте или виллы во Флоренции.

Обычно Стив пропускал эти критические замечания мимо ушей. Но Эйлин беспокоилась о том, как он отреагирует на этот раз. Однако он лишь закатил глаза, как бы говоря: «Не переживай, через три-четыре дня их здесь уже не будет».

В среду Эйлин предложила пойти с отцом договариваться насчет панихиды в четверг и похорон, назначенных на утро пятницы. Она боялась, что, если матери придется выбирать гроб, она просто не выдержит. Однако именно мама выбрала для Керри платье, в котором та ходила на выпускной. Оно было бледно-голубого цвета, из органзы, и очень шло Керри.

В четверг к часу дня все семейство, облаченное в приобретенные по этому случаю траурные наряды, прибыло в похоронное бюро. Увидев дочь в гробу, Фрэн потеряла сознание.

— Почему? Почему? — стенала бабушка, пока Стив пытался удержать в вертикальном положении жену, находившуюся в полуобморочном состоянии. Но миссис Даулинг все же удалось собрать последние силы и принять соболезнования от прибывающих участников похорон.

Соседи, учителя и ученики старших классов, а также старые друзья появлялись под непрерывное щелканье новостных камер, установленных через дорогу. К трем часам очередь скорбящих опоясала весь квартал.

Эйлин поймала себя на том, что ищет глазами Алана Кроули. Но его нигде не было видно. Девушка не решила, как к этому следует отнестись: с облегчением или с возмущением. Помня о том, что говорила по поводу Алана мама, она понимала, что лучше ему здесь не появляться.

Несколько девушек из команды Керри по лакроссу приехали вместе со своим тренером, Скоттом Кимбеллом. Это был спортивного вида симпатичный брюнет. На высоких каблуках Эйлин была одного с ним роста.

Когда подошла его очередь, он пожал Эйлин руку. Глаза его блестели от слез.

— Я знаю, что вы переживаете, — произнес он. — Моего младшего брата сбила машина, когда ему было пятнадцать. Дня не проходит, чтобы я не думал о нем.

Невозможно было представить, как они будут жить без Керри.

Каждого из присутствующих преследовал вопрос о том, кто мог совершить это убийство. Эйлин слышала, как ее мать заверяет всех, что это дело рук Алана Кроули.

— Я пыталась уберечь ее от него, — всхлипывала Фрэн. — За Керри ухаживали столько парней, ну почему она выбрала его, я не понимаю! Он вечно ее ко всем ревновал. У него отвратительный характер. И вот полюбуйтесь, что он с ней сделал.

Воздух в день похорон был по-сентябрьски свеж. С утра сияло солнце и дул прохладный ветерок. Следуя за гробом по проходу, Эйлин вновь ощутила нереальность происходящего и свою отстраненность от всего вокруг. «Мы с Керри должны быть не здесь, а обсуждать у бассейна, что ей прихватить с собой в колледж, — думала она. — Не здесь».

Проповедь отца Фрэнка несла утешение. Как он сказал, «мы не понимаем, почему происходят подобные трагедии. И только вера приносит нам необходимое ободрение». Священник вновь поведал историю про оборотную сторону прекрасного персидского ковра, и для Эйлин в этой истории теперь было еще больше смысла, чем в тот день, когда она нашла Керри в бассейне.

Ее все мучил вопрос, появится ли на похоронах Алан Кроули. Она следила за всеми, кто приближался к алтарю, но не увидела ни Алана, ни его родителей. Это к лучшему. Если мама его заметит, она сойдет с ума. Но на выходе из церкви Эйлин все-таки углядела его. Он стоял на коленях в самом последнем, дальнем ряду, закрыв лицо руками.

17

Семья десятиклассницы Валери Лонг переехала в Сэддл-Ривер из Чикаго, после того как ее отчим получил назначение на другую должность. Сам переезд выпал на Рождество, и Валери пошла в новую школу в январе, посреди учебного года, отчего ей стало еще хуже.

Зеленоглазая, с иссиня-черными волосами и бледной кожей, она была высокой девушкой, но не выглядела на свои шестнадцать. В будущем Лонг обещала стать красавицей. Валери была единственным ребенком, ее овдовевшая мать снова вышла замуж, когда девочке исполнилось пять. Отчим оказался на двадцать лет старше матери. Они редко виделись с его взрослыми детьми, жившими в Калифорнии. Валери была уверена, что она для отчима — обуза. Природная робость и склонность к уединению превратили ее в крайне застенчивую девушку.

Попав зимой в чужую школу, она обнаружила, что все группировки и кружки по интересам уже сформировались. Из-за этого прижиться в новом классе было еще труднее, однако с наступлением весны в ее положении наметились перемены.

Благодаря тому, что Лонг обладала быстрой реакцией и хорошо двигалась, в старой школе ей удалось преуспеть в лакроссе. Валери надеялась, что, если она попадет в команду в Сэддл-Ривер, ей будет легче завести друзей. Но, как обычно, все произошло не совсем так, как она планировала.

Тренер Скотт Кимбелл сразу оценил ее способности и включил в сборную школы. За исключением парочки девятиклассниц, сборная команда состояла из учениц выпускного класса. Лонг предпочла бы играть в младшей группе, но ей не хотелось разочаровывать ни тренера, ни товарищей по команде.

Керри Даулинг, будучи капитаном, первой оценила умелые действия Валери на поле, равно как и ее невероятную застенчивость. Керри приложила немало стараний, чтобы расположить к себе Лонг и втолковать ей, насколько она здорово играет. В сущности, Даулинг стала для нее старшей сестрой, Валери вряд ли доверялась кому-либо больше, чем ей.

Внезапная смерть Керри оглушила Валери. Она не смогла заставить себя пойти ни на панихиду, ни даже на похороны и лишь наблюдала с другой стороны улицы, как из церкви выносили гроб и грузили его на катафалк. Вернувшись домой, она все еще не могла дать волю слезам.

18

Близкая подруга Мардж Бренда была домработницей у Кроули. Вместе со своим мужем, вышедшим на пенсию сантехником Куртом, Бренда жила в Вествуде, Нью-Джерси, в нескольких милях от Сэддл-Ривер. Курт Нимейер частенько работал на стройках вместе с Джеком Чэпменом. Как и Джек с Мардж, Нимейеры жили в небольшом домике в Сэддл-Ривер еще до того, как цены на недвижимость в этом районе взлетели до небес. Тогда они продали свою недвижимость и купили дом в соседнем Вествуде и еще дачку в Джерси-Шор.

Если Курт наслаждался отдыхом на пенсии, то Бренда не находила себе покоя. В молодости она подрабатывала помощницей по хозяйству и теперь поняла, что работа эта ей нравится и хорошо у нее получается. «Кто-то ходит в спортзал. А я тренируюсь, делая уборку», — говорила эта женщина. И она начала искать место домработницы, чтобы занять свое свободное время. В результате три дня в неделю она совмещала обязанности уборщицы и повара.

Они с Мардж дружили многие годы. Бренда знала, что, если она поделится слухами с миссис Чэпмен, та никому об этом не расскажет. Нимейер была средней комплекции, с узкими плечами и коротко постриженными седыми волосами. Ей нравилось работать у Кроули, но не нравились они сами. Джун она считала высокомерной и мелочной, а ее супруга — напыщенным и нудным. Единственным человеком в семье, вызывавшим у нее теплые чувства, был Алан. Несчастный парень оказался между двух огней. Послушать его родителей, так он ничего не мог нормально сделать. Если он получал хорошие отметки в школе, от него требовали отличные.

«Да, характер у него не сахар, — часто думала Бренда, — но, клянусь, это они его довели».

Супруги Кроули не скрывали, что ждут не дождутся, когда он в сентябре поступит в университет из Лиги Плюща и они смогут хвастаться этим перед своими знакомыми.

— Они его все время достают, — рассказывала миссис Нимейер Мардж. — Будь я на его месте, я бы уехала учиться на Гавайи, лишь бы быть по-

дальше от них. Меня, конечно, не было там в выходные, когда убили бедную девочку. Но я уверена, когда Кроули узнали, что приезжал коп и
допрашивал Алана, они взвились до потолка.
А теперь все в городе считают, что это сделал
Алан. И судя по тому, как они себя ведут, я не
удивлюсь, что Кроули сами так считают.

19

Жизнь после гибели Керри постепенно начинала возвращаться в нормальную колею. Эйлин
помогла матери написать благодарственные за-
писки тем, кто послал цветы на похороны.

Не сговариваясь, они заперли дверь спальни
Керри. Ее кровать была заправлена все тем же
сине-белым покрывалом, которое она выбрала,
когда ей было шестнадцать.

Все ее вещи оставались в шкафу. Лохматая
собачка-колли, которую девочка носила под мышкой, когда училась ходить, сидела на скамейке
под окном.

Сначала Лесси[1] хотели положить в гроб с
Керри. Но в последний момент Фрэн сказала
Стиву и Эйлин, что хочет ее сохранить.

Миссис Даулинг требовала нанять подрядчи-
ка, чтобы демонтировать бассейн и уничтожить
все следы его существования, но муж уговорил

---

[1] Игрушка названа в честь колли — персонажа ряда
успешных американских фильмов и сериалов.

ее пойти на компромисс. Они закроют бассейн до конца сезона. А следующей весной решат, стоит ли от него избавляться.

До начала занятий в школе оставалось еще десять дней, и Эйлин использовала оставшееся время, чтобы разобраться в собственных мыслях. «Керри и я были такими разными, но появились мы из одного гнезда, — думала она. — Керри была красавицей с момента своего появления на свет. — Эйлин тогда исполнилось десять. Она была слишком худой, ее зубы явно нуждались в брекетах, а тусклые каштановые волосы свисали с плеч, как сосульки. — Но я ее обожала. Между нами не было никакой вражды. Мы просто были очень разными людьми. И я вечно умоляла маму разрешить мне покатать Керри в ее детской коляске. Но были между ними и другие отличия. С самого детства я читала запоем. Я не отрывалась от книг. Я хотела быть Джен Эйр или, как Кэтрин, бегать за Хитклиффом[1] по вересковым пустошам. Я хотела показать всем, какая я умная. С первого класса я стремилась быть лучшей, и мне это удавалось. Я занималась только теннисом. Я любила его за особую состязательность. «Сорок — ноль» было лучшей музыкой для моих ушей. Я сразу выбрала Колумбийский университет и поступила туда. Потом защитила диплом по психологии. А затем мы обручились с Риком. Он учился на послед-

---

[1] Кэтрин Эрншо и Хитклифф — персонажи романа Эмили Бронте «Грозовой перевал» (1847).

нем курсе, когда мы познакомились, и это была любовь. Он был таким высоким, что я чувствовала себя абсолютно защищенной. Он был почти местным — из Гастингс-он-Хадсон, всего в сорока милях от Сэддл-Ривер. Рик часто повторял, что пределом его мечтаний было получить ученую степень, чтобы преподавать в колледже. Я же говорила ему, что хочу преподавать в старших классах, или стать школьным психологом, или и то и другое вместе. Как только мы защитились, тут же была назначена дата свадьбы. Четыре года назад. Мы все организовали для нашего великого дня. Мы с мамой выбрали мне платье...»

Эйлин припомнила, что она собиралась надеть фату. Накануне они с Риком вместе поужинали у нее дома, а потом он отправился к себе.

Через три часа позвонил его отец. Машина Рика лоб в лоб столкнулась с другой машиной, за рулем которой был пьяный водитель. Рик умер в больнице. Второй водитель не получил даже царапины.

«Как мне удалось пережить это? — спросила себя Эйлин. — Я понимала, что мне нужно сменить обстановку. Поэтому устроилась на работу в Международную школу и уехала жить в Лондон».

Прошло три года. Домой она приезжала только на День благодарения и на Рождество. Три года ожидания, когда утихнет боль. И наконец Эйлин перестала просыпаться по утрам с мыслями о Рике.

За эти три года у нее бывали случайные связи, но ни разу ей не захотелось, чтобы они перешли в серьезные отношения. А в последний год у нее возникло желание вернуться домой и каждый день общаться с родителями и друзьями, которых она оставила в Америке. Но, вернувшись, она обнаружила, что ее любимую сестренку убили. Теперь единственное, что она может сделать для родителей, — это быть рядом. Эйлин планировала жить отдельно на Манхэттене, но это придется отложить.

Кто отнял жизнь у Керри? Кто мог так поступить с человеком, у которого было столько впереди, вся жизнь?

«Больше подобного не случится, — поклялась она себе. — Тот, кто сотворил такое с моей сестрой, заплатит сполна. Мне нравится Майк Уилсон. Я считаю его умным и способным. Но чем я могу помочь ему?»

Был один способ. Большинство ребят, присутствовавших на вечеринке, скоро вернутся в школу. Если кто-либо из них знает больше, чем рассказал Майку и другим полицейским, есть надежда, что со временем они станут поразговорчивее.

«Следствие сосредоточилось на Алане Кроули, — рассуждала Эйлин. — Но из того, что мне известно, доказательства против него сильные, но не неопровержимые».

Поступив в колледж, Эйлин продолжала поддерживать отношения с директором своей школы, Пэт Тарлетон. Месяц назад та сообщила девушке о вакансии в методическом отделе и спросила, заинтересована ли она в этой должности.

Такую работу она и искала, да и время для переезда как раз подошло. Керри окончила школу, и ей не придется испытывать неловкость от того, что старшая сестра работает в ее школе.

20

Мардж пребывала в состоянии постоянного беспокойства. Она инстинктивно чувствовала, что, когда детектив Уилсон заходил к ним в день смерти Керри, от него не укрылось, что Джейми все время ждал от нее одобрения. И хотя она не сомневалась, что ее сын не рассказал никому про то, что он был в бассейне с Керри, вероятность, что он в любой момент мог проболтаться, была очень высокой. К тому же время от времени он напоминал ей об этом сам.

— Мам, я никому не рассказал, что плавал с Керри.

— Это наш секрет, дорогой. Мы не обсуждаем секреты, — торопливо пресекала женщина эти попытки.

Каждый день, оставляя сына у супермаркета, миссис Чэпмен не могла дождаться, когда можно будет забрать его домой. Она поймала себя на том, что отвозит его туда и обратно, не позволяя самому ходить на работу.

Как только они заходили в дом, она начинала расспрашивать сына, с кем он общался во время смены и о чем они говорили. Иногда он завершал свой отчет торжествующе:

— А я никому не рассказал, что плавал с Керри!

Мардж раздирали противоречия. Она хотела знать обо всех его контактах с другими людьми, но при этом отдавала себе отчет, что все эти расспросы еще больше заставляют его задумываться о событиях той роковой ночи.

Ситуация ухудшилась, когда юноша вдруг заговорил про «Здоровяка», который вышел из леса. Так Джейми любил называть его покойный отец. Стараясь ничем не выдать своего беспокойства, Чэпмен спросила сына:

— Что сделал Здоровяк, Джейми?

— Он стукнул Керри и толкнул ее в бассейн, — ответил тот беззаботно.

— Джейми, кто такой Здоровяк? — выдавила из себя Мардж.

— Папа называл меня Здоровяком. Помнишь, мам?

У женщины пересохло в горле.

— Помню, Джейми, — прошептала она. — Я помню.

Миссис Чэпмен понимала, что ей не под силу одной выдержать эту ношу. Она все больше боялась, что полиция попытается обвинить в произошедшем Джейми, особенно если он признается, что плавал с Керри в бассейне. Но с другой стороны, она не хотела скрывать правду от следствия.

Накануне вечером Джейми поведал ей, что крупный мужчина вышел из кустов, после того как уехал первый парень. Он ударил Керри по голове и столкнул ее в воду.

Но если Джейми все это расскажет в полиции, они могут сравнить его описание с Аланом Кроули. Алан был среднего роста и худощавый. В то время как рост Джейми был шесть футов и один дюйм[1], и он был не толстым, но статным. Иногда он сам себя называет Здоровяком, размышляла Мардж. Если он скажет это полицейским, они могут подумать, что Джейми на самом деле имеет в виду себя. Поверь они в это — и его арестуют.

Его это так напугает! Им так легко манипулировать... Он всегда всем стремится угодить. Он с удовольствием скажет то, чего от него ждут.

Мардж опять почувствовала, как защемило у нее в груди. Врач велел ей принимать нитроглицерин, если такое случится, и к концу этого дня она выпила уже три таблетки.

«Господи, не допусти, чтобы со мной что-то случилось, — молилась она. — Сейчас он, как никогда, нуждается во мне».

21

Майк намеревался заехать к тем четырем девушкам, которые послали Керри эсэмэски после вечеринки. Все родители дали согласие на беседу с их дочерями.

---

[1] Ок. 1 м 85 см.

Сперва следователь позвонил в дверь к Бетси Финли. Представившись девушке и ее родителям, он получил приглашение пройти в гостиную. Бетси села на диван, родители устроились по бокам от нее, а Уилсон сел в кресло, стоявшее напротив дивана.

Как и детектив Харш, он начал с того, что еще раз подтвердил, что не собирается никого арестовывать за употребление алкоголя или наркотиков, но что чрезвычайно важно, чтобы Бетси была с ним абсолютно откровенна. Он подчеркнул, что лишь хочет установить, что произошло с Керри.

Майк старался формулировать свои вопросы в непринужденной манере. После того как мисс Финли смущенно призналась, что выпила одну или две рюмки водки, они выяснили, во сколько она приехала на вечеринку и когда уехала домой.

— Были ли во время вечеринки какие-либо ссоры или конфликты? — спросил Уилсон.

Бетси, естественно, тут же поведала о размолвке между Аланом и Керри, произошедшей после того, как Керри весь вечер флиртовала с Крисом Кобелом. Из-за ссоры Кроули ушел с вечеринки раньше всех. Остальные, объяснила девушка Майклу, уехали все одновременно, потому что Керри хотела закончить к одиннадцати часам.

Эта беседа лишь подтвердила то, что детектив и так уже знал из телефонных сообщений и своего разговора с Кроули.

Он задал последний вопрос:

— Знаете ли вы, кто принес на вечеринку пиво и водку?

В ответ Бетси только покачала головой:

— Я приехала первой, но все это уже было.

Схожие ответы дали две другие девушки, из тех что писали Керри. Та, что советовала хозяйке вечеринки бросить Алана, с жаром воскликнула, что Кроули был не просто расстроен или раздражен — он был в бешенстве.

Последняя из девушек поделилась наиболее ценной для Майка информацией. На его вопрос откуда взялся алкоголь, она ответила:

— Керри говорила мне, что парень, который помог ей поменять спущенное колесо, предложил достать любую выпивку, если она соберется приглашать гостей.

Полицейский ничем не выдал своего волнения.

— Вам известно имя человека, который менял колесо?

— Нет, неизвестно.

— Керри как-то его описывала или рассказывала, как они познакомились?

— Кажется, у нее лопнула шина на семнадцатом шоссе в Мавахе, и он остановился, чтобы помочь.

— Она упоминала, где он передавал ей выпивку для вечеринки?

— Нет, но она рассказала, что, когда они встретились, тот парень положил ей все в багажник. А когда она закрыла его, он стал напрашиваться в гости. Керри объяснила ему, что будут только ее одноклассники и никого его возраста. Она сказала, что парню было лет двадцать пять. Тогда он предложил зайти после того, как уйдут ее гости. Она, конечно, не согласилась. Тогда он схватил ее и полез целоваться.

— Она как-нибудь описывала вам этого парня?

— Нет. Она послала его, сразу же села за руль и уехала.

— Значит, она не говорила, где он передавал ей алкоголь?

— Вроде нет. Я не помню.

Уилсон посмотрел на родителей девушки:

— Я очень признателен вам за возможность побеседовать с вашей дочерью.

Попрощавшись, следователь вернулся к своей машине. Всю дорогу он думал о том, что в деле об убийстве Керри, возможно, появился еще один потенциальный подозреваемый.

22

В окна дома приходского священника светило солнце. Мардж Чэпмен сидела напротив отца Фрэнка в его кабинете. Сам он вышел из-за стола и пододвинул стул поближе к гостье.

— Я рад, что вы пришли ко мне, Мардж. Когда вы позвонили, по вашему тону я понял, что вы чем-то очень расстроены. Что случилось?

— Джейми попал в беду.

Возникла пауза.

— Святой отец, — с дрожью в голосе начала женщина, — Джейми в окно наблюдал за вечеринкой во дворе у Даулингов. Когда Керри упала или ее столкнули в бассейн, он решил, что она купается, и отправился поплавать вместе с ней.

— Это он вам рассказал?

— Не сразу. На следующее утро я заметила, что он намочил брюки, а также носки и кроссовки. Когда я спросила его об этом, он сказал, что видел, как кто-то подошел к Керри сзади, ударил ее и пихнул в воду. Все еще думая, что он может поплавать с ней, он спустился по ступенькам в бассейн.

Мардж перевела дыхание.

— Я не знала, что мне делать, святой отец. Я своими глазами видела ту ужасную сцену, когда Стив Даулинг и Эйлин обнаружили Керри в бассейне. Я испугалась. За Джейми. На его кроссовках и брюках были какие-то разводы. Может, я поступила неправильно, но я все постирала. Я должна была защитить Джейми. Я заставила его пообещать мне никому не говорить про то, что случилось той ночью.

— Мардж, то, что видел Джейми, может быть очень важно для полиции.

— Да, но это также может навредить ему, если они решат, что это сделал он, — Чэпмен глубоко вздохнула. — Святой отец, это еще не все. Вы помните, как Джек всегда называл Джейми Здоровяком?

— Ну разумеется, помню.

— Так вот Джейми заговорил про Здоровяка, который столкнул Керри в бассейн. Алан Кроули среднего роста и худощавый. А Джейми сам себя иногда называет Здоровяком. Когда он расстроен, он начинает все путать. Я так боюсь, что если он вдруг скажет в полиции... — голос женщины затих.

— Мардж, существует ли вероятность, что Джейми навредил Керри?

— Джейми был разочарован и, может, даже злился, что его не пригласили, но я не могу себе представить, что он был способен навредить ей.

— Но он сказал, что Здоровяк толкнул Керри в бассейн. Вы думаете, что он мог говорить о себе?

— Я не знаю, что и думать, — вздохнула миссис Чэпмен. — Он любил ее. Я не верю, что он бы с ней так поступил. К нам приходил детектив. Не думаю, что он подозревает Джейми, просто...

— Мардж, я не хотел бы давать вам поспешный совет, который может оказаться неверным. Позвольте мне обдумать то, что вы мне рассказали.

— Большое вам спасибо, святой отец. И, прошу вас, молитесь за меня. И за Джейми.

— Помолюсь, Мардж. Обещаю.

23

Школьные коридоры вновь заполнились возбужденными началом занятий учениками. Многие, проходя мимо Эйлин, останавливались, чтобы выразить свои соболезнования. Девушка старалась не дать волю слезам каждый раз, когда кто-нибудь говорил ей, что не может поверить в то, что случилось с ее сестрой. «Я и сама не могу в это поверить», — был ее ответ.

День пролетел быстро. После того как школьные автобусы прибыли и увезли детей и учителя начали собираться домой, Даулинг вернулась к себе в кабинет. Она пыталась заучить имена выпускников. В ее обязанности входило помогать им определиться с колледжем.

Ее беспокоило, что она использовала свой компьютер для того, чтобы выполнить поручение Майка Уилсона. Эйлин переживала, что, если станет известно, какую информацию она предоставила детективу, ее первый день в школе станет последним. Но она надеялась, что этого не произойдет.

В дверь постучали. В кабинет вошла Пэт Тарлетон.

— Ну, Эйлин, как ваш первый день?

— Как и ожидалось, — ответила девушка сухо. — И все-таки я рада вновь оказаться тут. Хочу поскорее познакомиться с учениками и коллегами-преподавателями.

— Кстати об этом, я заметила, как вы общались со Скоттом Кимбеллом в учительской. Скотт — наше замечательное приобретение прошлого года. Его математические классы очень популярны среди учеников. А для программы по лакроссу нам его вообще Бог послал.

— Да, он приезжал с игроками из команды на панихиду, — заметила Эйлин беспристрастным тоном.

— Помню, как Керри говорила мне о том, какой он замечательный тренер. Ладно, я просто заскочила на минутку. Увидимся утром.

Едва за Пэт закрылась дверь, как зазвонил сотовый мисс Даулинг. Это был Майкл Уилсон.

— Эйлин, когда вы общались с Керри по телефону или по почте, она не рассказывала про человека, который помог ей поменять колесо? — спросил он.

Девушка напряглась, вспоминая все последние сообщения от Керри.

— Нет, не припомню такого. Полагаю, вы не просто так интересуетесь.

— Я стараюсь ничего не упустить. Одна из подруг Керри рассказала мне, что некто помог ей сменить лопнувшее колесо, но потом повел себя немного агрессивно, когда она отказалась приглашать его на вечеринку. Может, это и не важно. Но я хочу выяснить имя этого типа.

— Вы думаете, это он мог?..

— Эйлин, мы расследуем все, что может оказаться существенным. Поэтому я должен расспросить ваших родителей о случае со спущенной шиной.

— Конечно.

— Как они?

— Я знаю, что отцу точно помогло, что он вернулся на работу. А вот маме приходится тяжело.

— Они будут дома вечером? Керри могла поделиться с ними историей про колесо и про того, кто пришел ей на помощь. Вы не подскажете, в какое время будет удобно зайти?

— Отец обычно приходит домой к половине седьмого. Мы садимся ужинать в районе полвосьмого. Я бы сказала, без четверти семь будет нормально.

— Отлично. Увидимся у вас.

Эйлин отключила компьютер. Она уже собралась вставать со стула, когда в дверь снова постучали. Пришел Скотт Кимбелл.

Тренер по лакроссу был одновременно и учителем математики — он вел курсы по алгебре, геометрии и матанализу. В школе он работал второй год. Его наняли в прошлом году на замену уходившему на пенсию преподавателю, и старший физрук был просто счастлив, узнав, что Кимбелл играет в лакросс и готов стать тренером. Его тут же назначили главным тренером девичьей сборной команды.

— Я с дружеским визитом, — объяснил он. — Как дела?

— Дедушка с бабушкой вернулись в Аризону, — отозвалась Даулинг. — Мне их не хватает, но с другой стороны, стало немного легче. Отец снова ходит на работу. А вот мама очень страдает. Конечно, нам всем трудно. Но она твердо намерена чем-то себя занять.

— Эйлин, я понимаю, что сейчас не время, что, наверное, еще слишком рано, но я все равно рискну. Я бы очень хотел пригласить вас на ужин.

Я нацелился сходить в новый французский ресторан, который открылся прямо на Гудзоне, в Найяке. Говорят, там и еда, и вид отличные.

Девушка задумалась. Несомненно, Скотт был привлекательным мужчиной. Но она вовсе не была уверена, что *общаться* — ладно, назовем вещи своими именами — *встречаться* с коллегой было бы правильно.

— Я пока не готова, — ответила девушка. — Но мы можем поговорить об этом через пару недель.

— Конечно. Помните, я тут, рядом.

И, помахав на прощание, тренер вышел из кабинета.

Эйлин вспомнила, как Керри отзывалась о Кимбелле в конце прошлого учебного года. Он отличный тренер и очень приятный человек. И он намного лучше, чем предыдущий тренер, Дон Браун. Тот вообще ни в чем не разбирался. Один — ноль в твою пользу, Керри, подумала Эйлин. Похоже, ты бы одобрила, если бы я пошла со Скоттом Кимбеллом в ресторан с живописным видом на залив.

Она заперла за собой дверь кабинета и направилась к парковке.

24

Верный своему обещанию, Майк Уилсон позвонил в дверь точно в 18.45. Эйлин предупредила родителей, что он собирается зайти, и ее мать тут же отреагировала:

— Он хочет сообщить нам, что арестовали Алана Кроули.

— Нет, он по другому поводу. У него к вам вопрос, — ответила девушка.

— О Керри? — спросил Стив.

— Да, насчет спущенной шины.

— Но у Керри никогда не спускала шина, — уверенно заявил мистер Даулинг.

— Ну, скажи об этом детективу Уилсону.

Эйлин не хотела, чтобы встреча с Майком происходила в большой гостиной. Ведь именно там он сообщил им, что смерть Керри не была случайностью. Поэтому она предложила перейти в малую.

Когда они устроились, следователь объяснил причину своего визита, пересказав то, что Эйлин уже слышала от него.

— Керри никогда ничего не говорила про спущенную шину, — заявил Стив. — Хотя я и предупреждал ее о том, что задняя покрышка у нее совсем износилась. Я хотел, чтобы она обратилась в автосервис и срочно поменяла ее. Если шину спустило до того, как она последовала моему совету, она, скорее всего, нам бы об этом не сказала.

— Но она покупала новую шину? — спросил Майкл.

— Да, она показывала мне новое колесо дней десять назад.

— Теперь можно более точно определить время, когда она познакомилась с человеком, который помог ей поменять колесо и продал ей пиво для вечеринки? — предположила Эйлин.

— И еще пытался наброситься на нее, — с горечью добавил ее отец.

— Да, если предположить, что она заменила колесо сразу после того, как его спустило. — Уилсон поднялся. — Это может облегчить поиски этого человека.

— На ком вы должны сосредоточиться, так это на Алане Кроули, — сказала Фрэн, и глаза ее наполнились слезами.

Эйлин проводила Майка до двери.

— А что, если мама права насчет Алана Кроули? — спросила она.

— Мы пытаемся не ограничиваться одной очевидной версией. И намерены расследовать все значимые зацепки, — возразил детектив и повторил вопрос, который раньше задала ей Пэт Тарлетон: — Как прошел первый день в школе?

— Слишком много впечатлений, разумеется. Но у меня вопрос. Кто-нибудь знает о том, что я предоставила вам информацию о датах рождения учеников и выбранных ими колледжах?

— Никому не известно, откуда я получил эту информацию.

— Хорошо. Если не возражаете, пусть так и останется.

— Конечно. До свидания.

Эйлин посмотрела полицейскому вслед и подождала, пока он не сел в машину и не уехал.

Валери Лонг с трудом, словно во сне, пережила первый день занятий. Ей все время казалось, что Керри тут, рядом. Керри была на поле для лакросса. Керри провожала Валери в раздевалку, обняв ее за плечи.

Лонг ужасно хотелось расплакаться, но почему-то слезы застряли у нее в горле.

Когда она шла по коридору на очередной урок, то увидела сестру Керри. Эйлин была новым школьным психологом. Одетая в синий пиджак и брюки, она показалась Валери такой красивой. Выше Керри ростом и волосы темные, но все равно она была очень похожа на сестру.

«Прости, Керри, — подумала Лонг. — Мне так жаль».

25

Родители Алана Кроули направлялись на встречу с известным адвокатом Лестером Паркером. Сын поехал с ними с большой неохотой.

— Алан, давайте вспомним, что произошло на вечеринке, — начал Паркер. — Керри Даулинг была вашей девушкой, правильно?

— Да, была, — ответил молодой человек.

— Как долго продолжались ваши, э-э, отношения?

— Год.

— Вы действительно часто ссорились?

— И потом смеялись над этими ссорами. Керри любила пофлиртовать и заставить меня злиться. Но мы всегда мирились.

— А что случилось тем вечером? Вы поругались?

— Керри выпила водки. Алкоголь всегда на нее плохо действовал, ей хватало одного-двух бокалов вина. Так что, когда Крис Кобел начал за ней ухлестывать, она его не отвергла.

— Вы сами выпили?

— Да, пару пива.

— Только пару?

— Ну, может, три или четыре. Я точно не помню.

Алан чувствовал, как родители буквально прожигают его взглядами.

— Я так понял, что вы покинули вечеринку до ее окончания. Куда вы направились? — продолжал расспросы юрист.

— Я знал, что мои друзья собирались в ресторан, где подают пиццу, «Нелли» в Волдвике. Там я к ним и присоединился.

— Вы были с ними, пока не отправились домой?

— Нет.

— Из ресторана вы поехали прямиком к дому Керри?

— Да.

— Где вы ее застали?

— Она прибиралась во дворе на веранде.

— Что она сказала, увидев вас?

— Она промолчала. Я сказал: «Керри, прости меня. Я просто хочу помочь тебе прибраться».

— Как она на это отреагировала?

— «Я устала. Мне завтра рано вставать. Я хочу спать».

— И тогда вы уехали?

— Я видел, что она говорит правду. Она зевала. Поэтому я ответил: «До завтра».

— Что произошло потом?

— Она сказала: «Ладно, поговорим завтра».

— Что вы сделали после этого?

— Я обнял и поцеловал ее и отправился домой.

— Во сколько вы были дома?

— Мы были в спальне, — встряла Джун. — Я посмотрела на часы. Было ровно одиннадцать пятьдесят одна.

Во взгляде Паркера появилась досада:

— Алан, вы согласны? Было одиннадцать пятьдесят одна?

— Нет, я думаю было чуть позже.

— Было точно одиннадцать пятьдесят одна, — вновь вмешалась миссис Кроули. — Как я уже сказала, когда Алан пришел, я посмотрела на часы.

Возникла пауза, а затем Лестер Паркер повернулся к родителям юноши:

— Я могу попросить вас подождать снаружи? Лучше всего я смогу помочь Алану, если услышу все от него напрямую.

Когда дверь за старшими Кроули закрылась, Паркер сказал:

— Алан, между нами действует адвокатская тайна. Ничто из того, что вы мне расскажете, не станет известно никому. Вы каким-либо образом нанесли Керри удар или столкнули ее в бассейн?

— Категорически нет. — Выражение лица и язык тела Кроули-младшего демонстрировали отчаянную попытку защититься. — Как бы вы себя чувствовали, если бы весь город считал вас убийцей? — выпалил он. — Как бы вы себя чувствовали, если бы ваши собственные родители были настолько уверены в том, что вас арестуют, что наняли бы самого крутого адвоката, чтобы защищать вас? Как бы вы себя чувствовали, если бы убили девушку, которую по-настоящему любили?

Губы Алана задрожали. Лестер внимательно следил за ним. Он множество раз слышал, как подзащитные клялись в своей невиновности, и почти всегда мог определить, кто из них пытался солгать, а кто говорил правду. Обдумывая линию защиты для Кроули, он все еще не составил окончательного мнения насчет его виновности.

— Когда вы узнали, что Керри мертва? — задал он новый вопрос.

— Около полудня в воскресенье. Я косил газон, а сотовый оставил в доме. Когда я пошел за водой, то обратил внимание, что на телефоне было много пропущенных звонков и сообщений. Я прочитал одно из них и тут же узнал, что произошло. Пока я читал сообщение, появился детектив и попросил меня поехать с ним в Хэкенсэк.

— Вы рассказали ему то же, что рассказывае-
те сейчас мне?

— Да.

— Алан, должно быть, вам было очень не по
себе, когда вас повезли в прокуратуру, где вам
пришлось отвечать на вопросы под видеозапись.
Вы сообщили там что-нибудь, что не соответст-
вует правде?

Кроули не ответил.

— Все хорошо, Алан, — заверил его Паркер. —
Мне вы можете сказать.

— Я сказал детективу, что все время оставался в ресторане с друзьями и оттуда поехал домой. Я не сказал, что по пути домой заезжал
проведать Керри.

— Ладно. В воскресенье вы проснулись. Родители ваши уже уехали играть в гольф. Вы ко-
сили лужайку, пока не явился детектив, и с ним
вы отправились в Хэкенсэк. Ездили ли вы куда-
нибудь или говорили ли с кем-нибудь после того, как вернулись из Хэкенсэка, но до приезда
ваших родителей?

Молодой человек с минуту помолчал. Адвокат отложил ручку и спокойно произнес:

— Алан, я смогу помочь вам, только если вы
будете честны со мной.

— Когда я вернулся из прокуратуры, я запа-
никовал. Мне нужно было, чтобы кто-то подтвердил мою версию о том, что из ресторана я
поехал прямиком домой.

— И что вы сделали?

— Я позвонил одному из своих друзей. Двое других ребят были как раз у него. Я попросил их сказать, что мы вместе вышли из ресторана.

— Вы не знаете, полиция их уже допросила?

— Да, их допросили.

— Хорошо.

Затем Алан сообщил Паркеру имена и контакты своих друзей.

— Послушайте, — сказал он, — я понимаю, что поддался панике, что все испортил. Я знаю, что, солгав, я только все усугубил. Но что мне сделать, чтобы как-то исправить ситуацию?

Лестер посмотрел в глаза своему клиенту.

— Есть две вещи, которые вам стоит сделать. С этого момента не обсуждайте случившееся ни с кем, кроме родителей и меня. Если кто-то к вам обратится, направьте их ко мне.

Алан кивнул.

— И второе. Когда вы вернетесь домой, расскажите родителям то, что только что сообщили мне. Они все равно узнают, так что покончите с этим неприятным разговором как можно скорее.

26

Утром за завтраком Стив объявил, что сегодня придет домой пораньше и они с Фрэн отправятся в кино. Сама Фрэн еще не спускалась. За второй кружкой кофе мистер Даулинг объяснил дочери:

— Я думаю, твою маму надо вывести из дома. Вчера, после того как уехал детектив Уилсон, я сказал ей об этом, и она согласилась со мной. Она настолько зациклилась на том, что это Алан Кроули убил Керри, что рассказывает об этом каждому встречному. Я сказал, что, пока не будет прямых доказательств, мы не можем делать выводов. Но даже после того как детектив Уилсон сообщил нам про того типа, который продал Керри пиво, она все равно уверена в виновности Алана.

Стив встал и отнес свою пустую кружку в раковину.

— Каждую неделю в кинотеатре в Норвуде показывают старые фильмы, — продолжил он. — Твоя мама все еще любит Грир Гарсон и с удовольствием посмотрит «Плоды случайности» на большом экране. Сеанс начинается в пять, потом я поведу ее ужинать в ресторан. Хочешь присоединиться к нам в кино, или в ресторане, или и там, и там?

— Спасибо, пап, но нет. Мне надо кое-что доделать на работе, — ответила девушка. — Я что-нибудь куплю на ужин по дороге домой.

Следующий день в школе прошел немного легче, чем первый. У Эйлин была отличная память на имена и лица. Пройдя в коридоре мимо одной из учениц, она тут же вспомнила, где и когда видела ее прежде. Это была та самая девушка, которая стояла на другой стороне улицы, пока шла поминальная служба по Керри.

«Почему она не пришла в церковь?» — спрашивала себя Даулинг.

Она задержалась на рабочем месте до шести. В полуоткрытую дверь ее кабинета заглянул Скотт Кимбелл.

— Вижу, вы опять трудитесь, — констатировал он.

— Ну да, — согласилась Эйлин.

— Есть ли вероятность, что, когда вы закончите, вы согласитесь пойти поужинать со мной? Я знаю, что приглашал вас только вчера, но этот вопрос вдруг возник у меня в голове. Знаете, это может оказаться приятной сменой обстановки.

— Вы опять пытаетесь соблазнить меня тем французским рестораном, о котором уже говорили?

— Именно.

— Тогда мой ответ: «Oui»[1].

И они рассмеялись.

Эйлин отклонила предложение Скотта ехать на его машине, так что до ресторана «Ла Петит» она доехала сама. Кимбелл говорил, что живет в Форт-Ли, так что ему пришлось бы делать большой крюк, чтобы отвезти девушку обратно к школе за ее машиной.

По дороге Даулинг начала сомневаться. Она ругала себя за то, что согласилась на этот ужин, и вновь и вновь твердила себе, как глупо нарушать деловые отношения между двумя коллега-

---

[1] Да (фр.).

ми, работающими вместе в школе. Только один раз, пообещала она себе, раз, и все.

Но в ресторане она начала расслабляться. «Ла Петит» вполне соответствовал рекламе Скотта. За те три года, что Эйлин преподавала в Международной школе и жила в Лондоне, ей было проще простого сесть на поезд, идущий через Евротоннель в Париж. И она совершала это путешествие каждые несколько месяцев. Останавливалась в небольшой гостиничке на левом берегу с видом на Нотр-Дам, ходила в Лувр и в другие музеи, каталась по Сене на речном трамвае.

Со временем у нее появилась страсть к французской кухне. А кроме того, она использовала возможность развивать свою природную склонность к языкам. Поставила себе целью научиться говорить по-французски свободно и без американского акцента. Так что, когда к ним подошел официант, мисс Даулинг не упустила возможности попрактиковаться.

Потом Скотт удивил ее, подхватив разговор на французском. Он хорошо владел этим языком, хотя произношение у него явно хромало.

Выслушав рекомендации от шеф-повара, Эйлин с Кимбеллом сделали свои заказы, и пока они попивали выбранное Скоттом бордо, он объяснил:

— Я целый семестр прожил во Франции, когда учился в университете. Это был курс, который предполагал проживание в семье носителей языка.

— Полное погружение? — уточнила Эйлин.

— Да, в этом была основная идея, — ухмыльнулся ее собеседник. — Но когда я общался с другими студентами, мы всегда переходили на английский.

— Как бы я хотела иметь такую возможность! — сказала Даулинг.

— Не знаю, что вы делали, но ваш французский лучше моего.

— Этому есть объяснение. — И девушка рассказала о своих частых наездах в Париж.

Они поговорили о тех местах, которые им удалось посетить в Париже и его окрестностях, а потом разговор перешел на школу. Скотт поделился своими впечатлениями о других учителях и администрации. И только когда принесли кофе, они помянули имя Керри.

— Эйлин, я провел с вами чудесный вечер, — сказал Кимбелл. — Часть меня рвется поведать вам, какой замечательной была Керри, но мне не хочется обсуждать тему, которая может вас расстроить.

— Да нет, все нормально. Я видела Керри глазами старшей сестры. Если бы я могла вернуться в прошлое, последние три года я больше времени проводила бы дома. Каково было тренировать мою сестру?

— Она была не такая, как все. Она не была самым сильным игроком в команде, но играла хорошо, и у нее был талант вести за собой других. Когда она выходила на поле, все начинали играть лучше, и это моя самая высокая похвала.

Возвращаясь домой, Эйлин поняла, что она получила от ужина большое удовольствие. Скотт был очень приятным человеком и интересным собеседником.

27

Результаты вскрытия показали, что Керри умерла мгновенно, от сильного удара в затылок. В ее легких почти не было воды, и это означало, что она не дышала, после того как ее оглушили. Уровень алкоголя в крови свидетельствовал о том, что она выпила две или три порции спиртного. Никаких признаков сексуального насилия не обнаружено.

Анализ, проведенный лабораторией штата, подтвердил, что смертельная рана была нанесена клюшкой для гольфа. Обнаруженные на головке клюшки волосы при сравнении с волосами Керри показали полное совпадение. Следы крови, снятые с клюшки, также содержали ДНК жертвы.

Определить отпечатки пальцев на резиновой рукоятке клюшки не представлялось возможным. Однако можно было идентифицировать пять отпечатков, оставленных на металлической части ручки.

Сбор отпечатков Майк начал со Стива и Фрэн Даулинг. Как и ожидалось, процедура прошла тяжело. Следователь снова появился у Даулингов в 18.45, после того как Стив пришел с работы, и когда он объяснил причину своего визита, Фрэн впала в истерику:

— Вы хотите сказать, что мою девочку убили нашей клюшкой для гольфа?!

— Фрэн, детектив Уилсон пытается сказать нам, что нужно определить, кому принадлежат отпечатки пальцев на клюшке. Очевидно, он собирается исключить наши, — объяснил ей муж.

— Вы могли бы зайти в отделение полиции Сэддл-Ривер, там у вас возьмут отпечатки, — сказал Майкл. — Они передадут их в прокуратуру.

— Мы сходим туда завтра, — заверил его Стив. Эйлин обняла мать.

— Мам, мы все хотим, чтобы поймали того, кто погубил Керри.

Фрэн в ответ повторила то, что твердила всем:

— Это сделал Алан Кроули. — А затем, обращаясь к Уилсону, она спросила: — У вас есть его отпечатки?

— Да, есть, — кивнул полицейский. — Но давайте подождем полного анализа.

И снова Эйлин пошла проводить его до двери.

— Майк, я все думала над сообщением, которое мне прислала Керри за день до вечеринки. Я говорю это с любовью: Керри имела привычку все драматизировать. Она тут же высказывалась по поводу случившегося, будь то размолвка с парнем или конфликт с учительницей. Но в сообщении, которое она прислала тогда, она лишь намекнула, что это касается чего-то «очень важного», не уточнив, чего именно. Это так нехарактерно для нее...

— Эйлин, — отозвался Уилсон, — я понимаю, как вам тяжело. Но я вижу, что вы стали опорой для ваших родителей.

Его рука скользнула по руке девушки, когда она открывала ему дверь.

— Эйлин, я обещаю вам и вашим родителям, что мы найдем того, кто сотворил такое с Керри и с вашей семьей, и этот человек сядет очень надолго, — добавил детектив.

— И тогда, может быть, мы сможем вернуться к прежней жизни, — ответила мисс Даулинг, но в ее голосе не было особой уверенности.

28

Солгав по просьбе Алана, его друзья начали испытывать муки совести. Детектив допрашивал их по отдельности, и каждый держался условленной версии. «Алан приехал к "Нелли" около десяти тридцати и уехал вместе с нами, примерно в одиннадцать сорок пять».

Рич добавил, что, по словам Кроули, тот собирался заехать к Керри утром и помириться с ней.

Стен рассказал Майку, что Алан был взбешен, когда появился в ресторане, но потом успокоился.

Бобби вспомнил, как их друг говорил им, что Керри любила его дразнить, потому что ей нравился сам процесс примирения.

На вопрос Уилсона о том, кто мог продать Керри пиво, все трое клялись, что им об этом ничего не известно.

Однако после встречи с Майклом они собрались вместе, чтобы обсудить вероятность того, что Алан расколется и признает, что уехал из «Нелли» раньше, вернулся и убил Керри.

Если Кроули сделает это, что будет с ними? Грозит ли им тюремный срок за лжесвидетельство?

Все трое, вместе и по отдельности, очень переживали за свой поступок.

И хотя они пытались разубедить в этом друг друга, им всем виделось, как за ними приезжают с ордером и сажают за решетку.

29

Эйлин понимала, почему Мардж не привела Джейми на похороны. С момента рождения Джейми Чэпмены и Даулинги поддерживали сердечные отношения. Керри дружила с Джейми всю свою жизнь. «Как же тяжело ему было осознать, что она ушла навсегда!» — думала мисс Даулинг.

Стив построил бассейн, когда Керри было десять лет. И стоило ей зайти в воду, Джейми тоже заявлял, что хочет плавать вместе с ней. Если он был во дворе, Керри звала Мардж и просила разрешения пригласить его искупаться. В бас-

сейне он не отставал от нее ни на шаг и научил-
ся довольно прилично плавать.

Эйлин знала, как он обожал Керри, понимала, как ему ее не хватает. Когда пришли рабочие, чтобы законсервировать бассейн на зиму,
она заметила, как Джейми наблюдает за ними
из-за разделявшей их участки изгороди. Повинуясь порыву, девушка подошла и заговорила
с ним.

— Как ты, Джейми? — спросила она.

— Мне грустно, — ответил юноша.

— Почему ты грустишь, Джейми?

— Потому что Керри плавала, а потом отправилась на небо.

— Понимаю, Джейми. Мне тоже грустно.

— Мой папа отправился на небо, так что Керри теперь с ним.

В глазах молодого человека стояли слезы.
Эйлин и сама чуть не расплакалась, но ей не хотелось делать это при нем.

— До встречи, Джейми, — произнесла она и
вернулась в дом.

30

Майк Уилсон решил, что пора ему отправиться
к «Нелли» и уточнить, во сколько Алан и его
друзья были там и когда уехали. Он позвонил в
ресторан и узнал от менеджера, что этим вечером там работает та же смена официантов, что
обслуживала клиентов в субботу.

Нужная ему официантка нашлась быстро. Глейди Мор рассказывала всем и каждому, что это за ее столиком сидел Алан Кроули в тот вечер, когда убили бедную девушку. Уилсон приехал в ресторан в семь и переговорил с Глейди, которая сказала ему, что освободится через пятнадцать минут.

Соблазнительный запах пиццы напомнил полицейскому, что он проголодался. Он заказал «Маргариту» и бокал пива.

Наконец Мор, как и обещала, подошла к его столику и села напротив.

— Керри приходила сюда с подругами, — сообщила официантка. — Она была такая красивая! Подумать только, что ее убили в тот вечер, когда я подавала пиццу этим парням.

— Вы помните, во сколько они появились в ресторане? — спросил детектив.

— Трое, не считая Алана Кроули, пришли в районе десяти. В тот вечер играли «Янки», так что они подсели поближе к телевизору, чтобы посмотреть игру.

— А когда к ним присоединился Алан? — задал Майк следующий вопрос.

— Это было около десяти тридцати. Видели бы вы его лицо!

— Что вы хотите этим сказать? — уточнил Уилсон.

— Он был очень зол. Можно было подумать, что он готов убить кого-нибудь. Был груб со мной. Он ничего не спросил, только показал глазами, что хочет того же, что ели другие парни. Между нами, я думаю, он не хотел разговаривать, потому что был выпивши. Когда я принесла его заказ, он писал что-то в телефоне.

— Хорошо, — подытожил следователь. — Он приехал в десять тридцать. Предположим, заказ он сделал в десять тридцать пять. Сколько времени готовится пицца?

— Примерно десять минут.

— То есть вы принесли ему заказ в десять сорок пять. Что произошло дальше?

— Он съел пиццу и уехал, не расплатившись.

— Вы могли бы вспомнить, во сколько он уехал?

— Помню, что это было после одиннадцати, но не позже четверти двенадцатого.

— Давайте сосредоточимся на его троих друзьях. Вы припоминаете, когда они ушли?

— Ну, они досидели до конца игры.

Майкл проверил: игра завершилась в 23.46.

— Благодарю вас, Глейди. Вы мне очень помогли. Я могу попросить вас позже заехать ко мне в офис и оформить протокол?

По лицу официантки расплылась довольная улыбка.

— С радостью. Я могу приехать в любое удобное для вас время.

— А вам заплатили за пиццу Алана? — спросил Уилсон, поднимаясь, чтобы уйти.

— Да, счет оплатил один из его друзей.

Майк поехал в офис, где его ждал заместитель прокурора Арти Шульман, возглавлявший убойный отдел.

— Арти, мы можем поговорить у меня? — попросил Уилсон. — Так будет удобней.

В кабинете Майкла на стене висели несколько магнитно-грифельных досок. На первой в алфавитном порядке были написаны имена ребят, участвовавших в вечеринке Керри. Большинство имен были написаны черным, а семь фамилий тех, кому еще не исполнилось восемнадцать, были красного цвета.

Слева от каждого имени стояла дата, когда Уилсон или его коллеги опрашивали этого человека, или буква «О». Майк объяснил, что «О» означала отказ от беседы или, если речь шла о несовершеннолетних, отказ их родителей. Буква «О» предваряла восемь фамилий. Справа от каждой из них была проставлена дата в сентябре или августе, обозначавшая день их отъезда в колледж.

На второй доске было только восемь имен. Они принадлежали тем из гостей, которые утверждали, что видели, как ссорились Алан и Керри. Буква «С» стояла справа от тех из них, кто посылал Керри сообщения, вернувшись из гостей домой.

На третьей доске были указаны имена троих друзей Кроули, обеспечивших ему алиби.

Арти изучил все три доски.

— Двое свидетелей ссоры направляются на Средний Запад, еще один — в Калифорнию, — сказал Майк. — Учитывая возможности бюджета, Мэтт Конинг наверняка захочет, чтобы я опросил их в Нью-Джерси, а не летал за ними через всю страну, — добавил он, имея в виду окружного прокурора.

— Ты все правильно понимаешь, — согласился Шульман.

Затем Уилсон сообщил ему последние новости расследования.

— У нас есть ордер на изъятие записей с сотового Алана Кроули. Он лжет о том, сколько времени провел в ресторане. В двадцать три двадцать пять его сотовый был в зоне вышки рядом с домом жертвы на другом конце Сэддл-Ривер. Совершенно очевидно, что он вернулся туда, после того как покинул ресторан.

— А как же друзья Кроули, которые подтвердили его алиби?

— Похоже, он попросил их солгать, что они и сделали. Я планирую связаться с каждым из них и вызвать их сюда для официальной дачи показаний. После того как я предупрежу их об ответственности за ложные сведения, данные следствию, я уверен, их память прояснится.

— У нас есть подтверждение, что орудием убийства является клюшка для гольфа, — заметил Шульман. — Есть ли результаты по идентификации отпечатков пальцев на ней?

— Да, но с этим может быть проблема, — ответил Майкл.

— Почему?

Взяв со стола отчет, Уилсон полистал его.

— Из лаборатории сообщают, что на клюшке определяются пять различных отпечатков. Все они находятся на металлической части ручки.

Многочисленные пальцы на резиновой части настолько смазаны, что непригодны для идентификации.

— Есть что-нибудь на головке клюшки?

— Нет.

— Таким образом, что мы имеем?

— На клюшке есть отпечаток пальца Алана Кроули. Мы также взяли отпечатки у родителей жертвы, Даулингов. Оба оставили свои пальцы на клюшке. Остается еще два пальца.

— Что дальше?

— В этом проблема. Из опрошенных мной гостей вечеринки часть призналась, что брали клюшку, чтобы попрактиковаться на лужайке, а другие дали мне имена тех, кто также бил по мячику.

— То есть у нас целая куча ребят, которые держали в руках орудие убийства?

— Совершенно верно. Из восьми парней, которые, по моим данным, держали клюшку, никто не имел приводов.

— А значит, у нас нет их отпечатков пальцев в картотеке?

— Притом что многие из участников вечеринки согласились с нами беседовать, я почти уверен, что получить их отпечатки пальцев будет затруднительно.

Арти кивнул.

— Мы не сможем добиться разрешения судьи, потому что они не являются подозреваемыми.

— Именно так.

— Вам удалось установить время смерти? — поинтересовался Шульман.

— Заключение криминалистической экспертизы нам не очень помогло. Температура воды в бассейне составляла почти тридцать градусов по Цельсию. В такой теплой воде ткани тела разлагаются очень быстро. Мы знаем, что она еще была жива в десять минут двенадцатого в субботу, когда набирала последнее сообщение. Родственники обнаружили ее в бассейне в одиннадцать пятнадцать в воскресенье. Таким образом, максимально она могла провести в воде около двенадцати часов.

— То есть с таким же успехом ее могли убить в четыре утра?

— Да, но вероятность этого невелика. Алан Кроули дал показания, что она собиралась после уборки сразу же лечь спать. Это подтверждает сообщение, которое она ему отправила. Это произошло вне дома. Через десять минут она могла бы уже завершить уборку.

— То есть свидетельств того, что она легла спать и потом Кроули принудил ее встать и выйти из дома, нет?

— Таких свидетельств нет. Но есть доказательство того, что в кровать она не ложилась. Мы проверили ее спальню. Постель была заправлена.

— Это ничего не подтверждает. Она с таким же успехом могла лечь на диване.

— Согласен. Однако вскрытие показало, что она не сняла контактные линзы.

— Люди часто забывают их снять, особенно после того, как выпьют.

— Я разговаривал с сестрой погибшей. Она утверждает, что Керри ни за что не забыла бы про линзы. Однажды она заснула с ними, после чего у нее началась тяжелая инфекция. Она прямо-таки религиозно относилась к процессу снятия линз на ночь.

— Так во сколько, по-твоему, произошло убийство?

— Между десятью минутами двенадцатого, когда она послала последнее сообщение, и десятью минутами позже, когда она могла бы закончить уборку.

— Во сколько точно Кроули вернулся домой?

— Арти, я думаю, что если мы вызовем на допрос приятелей Алана Кроули, которые были в «Нелли», и получим подтверждение того, что они солгали, мы будем иметь основания для его ареста. Он был на вечеринке. Он приревновал Керри. Он слал ей раздраженные сообщения. Роуминг его звонков показывает, что он вернулся к ее дому после вечеринки и солгал об этом. Он попросил солгать своих друзей. На орудии убийства есть его отпечатки. Он отрицает, что брал в руки клюшку в тот вечер.

— А что с тем добрым самаритянином, который помог поменять колесо?

— Подруга Керри заявила, что, после того как он поменял колесо, он, по словам Керри, начал к ней приставать и попытался ее поцеловать. Может быть, она все это преувеличила. Она была хорошенькой. На сегодняшний день мы никак не продвинулись в поисках этого человека.

— Жаль, что нам не удается его обнаружить. Но все действительно указывает на Кроули.

— Но мы больше не можем допрашивать Кроули, нам этого не позволит Лестер Паркер.

— Ну хорошо. Доложи мне о результатах, когда допросишь эту троицу. Как скоро ты планируешь с ними встретиться?

Уилсон сверился с данными на доске.

— Один из них взял академический отпуск на семестр. Двое других поступили в местные колледжи и согласились еще раз прийти. Я жду их сегодня после обеда.

31

Бобби, Стен и Рич больше всего боялись, что им перезвонят. Но это все равно случилось. Детектив Майк Уилсон сообщил им, что информация, которую они уже предоставили, крайне важна для следствия, и просил их явиться в Хэкенсэк для официальной дачи показаний. Все трое согласились приехать в прокуратуру к 16.30.

Майкл отвел их в допросную. Обычно он работал со свидетелями по отдельности, но на этот раз решил, что будет более продуктивно бросить вызов им троим одновременно. Пока они, потея от страха, усаживались на стулья, стоявшие рядком по одну сторону стола, следователь включил видеокамеру.

Поначалу он стелил мягко:

— Алан ведь ваш друг? Вы из одной бейсбольной команды?

Парни закивали в знак согласия.

— Помочь другу, который мог оказаться в беде, — это святое дело. Я сам сколько раз выручал своих друзей... Я убежден, что именно это вы и сделали, когда мы с вами встречались в прошлый раз. Поэтому я собираюсь задать вам несколько вопросов. Это ваш шанс все исправить. Если сегодня вы солжете мне, вас обвинят в даче ложных показаний и препятствии правосудию. — Майк немного помолчал. — А может быть, и в пособничестве убийству. Теперь начнем.

И все трое запели, как соловьи:

— Алан уехал из ресторана раньше нас. Мы не хотели создавать себе проблем. Он позвонил такой напуганный! Как только мы сказали неправду, мы поняли, что поступаем неправильно.

— Так, — прервал их излияния Уилсон, — подождите. Во сколько Алан уехал от «Нелли»?

Отчаянно стараясь не ошибиться, все трое заявили, что это произошло около четверти двенадцатого.

— Он говорил что-нибудь о том, куда направляется? — спросил детектив.

— Керри прислала ему сообщение, чтобы он не приезжал до завтра, — ответил Стен. — Но он сказал, что хочет все уладить еще вечером.

— То есть вы посчитали, что, покинув «Нелли», он отправился прямиком к Керри? — уточнил Майк.

— Да, — кивнули молодые люди.

— Вы можете утверждать, что, когда Алан появился в ресторане, он был нетрезв?

Последовала минута тишины. А потом все трое кивнули.

— Как, по-вашему, он выпил чуть-чуть, много? Сколько? — допытывался следователь.

— Он был довольно сильно пьян, когда появился в ресторане. Но потом он съел пиццу, выпил газировки и пришел в себя, — рассказал Рич.

Все трое подтвердили, что были вместе у бассейна Стена днем в воскресенье, когда Алан позвонил им и попросил их солгать следствию.

— Я благодарю вас за то, что вы пришли, — закончил разговор с ними Уилсон. — Сказав правду, вы поступили правильно.

Глядя, как они покидают прокуратуру, Майкл думал о том, что, возможно, видит троих самых счастливых людей на земле.

Он вернулся в свой офис и позвонил Арти. Оба посчитали, что настал момент для ареста Алана Кроули.

32

После встречи с Лестером Паркером Джун и Даг Кроули испытали некоторое облегчение. Вернувшись домой, Джун направилась в кабинет и удобно устроилась там, удовлетворенно вздохнув. Муж и сын последовали за ней.

— Лестер Паркер влетит нам в копеечку, но оно того стоит, — заметила миссис Кроули, а потом вдруг изменилась в лице. — Фрэн Даулинг говорит всем, что ты убил Керри, — произнесла она, глядя на Алана. — Я хочу, чтобы Паркер написал ей официальное предупреждение о том, что, если она будет и впредь это говорить, мы подадим на нее в суд за злостную клевету.

— Согласен, — с чувством отреагировал Даг.

Оба они посмотрели на сына, ожидая его реакции.

— Мам, пап, я должен вам кое-что сказать, — пролепетал тот.

«Боже, он сейчас скажет, что это он убил Керри!» — с холодеющим сердцем подумала Джун.

— Я не был честным с вами и с детективом из Хэкенсэка. Я действительно был в «Нелли», но по дороге домой я заехал к Керри, — сообщил молодой человек.

— Алан, только не говори нам, что это ты убил ее! — взмолилась его мать.

Дуг с побелевшим лицом схватился за подлокотники кресла, готовясь услышать худшее.

— Я убил ее? Так вот что вы все это время думаете про меня! — крикнул младший Кроули. — Произошло следующее: я вернулся, чтобы помириться с Керри и помочь ей прибраться. Она сказала мне, что слишком устала и хочет лечь спать, ей нужно было рано встать и закончить уборку. Я пожелал ей спокойной ночи, поцеловал на прощание и поехал домой.

— Тогда почему же ты солгал детективу? — спросил Даг.

— Потому что понимал, как это будет выглядеть. Мы поссорились на глазах у всех. Я посылал ей резкие сообщения, о которых полицейским, конечно, уже известно. Если бы я признал, что был у нее, боюсь, вывод был бы однозначным.

— Алан, — сказала Джун. — Ты должен знать, что мы с отцом поддержим тебя в любом случае.

— В любом случае! Что это значит? Вы поддержите меня, даже если это я убил Керри?! — Парень вскочил. — Тогда вам лучше узнать, что я не только обманул детектива. Я попросил своих друзей соврать, что был с ними в «Нелли», в то время как на самом деле я поехал домой к Керри.

Супруги Кроули были слишком потрясены, чтобы как-то отреагировать на эти слова. Алан посмотрел на мать.

— Так что лучше не посылать письмо миссис Даулинг, — с горечью произнес он и покинул комнату.

33

Бренда хлопотала на кухне, когда из кабинета стали раздаваться возбужденные голоса. Изучив каждый закоулок дома и обладая от природы идеальным слухом, она всегда знала, куда идти, чтобы подслушать разговоры Кроули. Домработница прокралась из кухни в прихожую и забилась в крохотную уборную рядом с кабинетом. Для виду она прихватила с собой бумажные полотенца и чистящее средство.

Слова «Он солгал детективу» засели у нее в голове. Миссис Нимейер всегда симпатизировала Алану из-за постоянных претензий родителей. Теперь же она задумалась, почему бы это младший Кроули стал обманывать копов. Она не верила, что он мог обидеть Керри.

Бренду прямо распирало от желания поскорее поделиться услышанным с Мардж. Она не могла дождаться, когда закончит готовить ужин для Кроули.

Подъехав к дому подруги, Нимейер обрадовалась, что ее машина припаркована на обычном месте. Открыв Бренде дверь и пригласив ее войти, миссис Чэпмен указала наверх.

— Бренда, у Джейми сегодня плохой день. Он плакал, потому что скучает по Керри, — объяснила она устало.

— О, Мардж, мне так жаль!

— Это повторяется каждые несколько дней. Он так по ней скучает... Я думаю, после того как он потерял Керри, он опять начал тосковать по Джеку.

— Ну конечно, он тоскует и по Керри, и по отцу, — сочувственно произнесла гостья. — Но погоди, что я тебе сейчас расскажу...

Она дождалась, пока они перешли в кухню и сели там за стол, а хозяйка дома поставила чайник, чтобы заварить чаю.

— Мардж, — начала Бренда, — ты не поверишь, в чем Алан признался своим родителям!

34

Телефон на ночном столике в спальне Фрэн и Стива зазвонил без четверти семь. Проснувшись, миссис Даулинг протянула руку, схватила трубку и села на кровати. Это звонил Майк Уилсон, и он сообщил, что направляется к Алану Кроули, чтобы произвести арест за убийство Керри. Сегодня его доставят в тюрьму округа Берген в Хэкенсэке, и в течение двух дней ему будет предъявлено обвинение. Процедура обвинения будет проходить публично, так что Даулинги смогут присутствовать в зале суда.

— Миссис Даулинг, — добавил Майкл, — мы будем там уже через несколько минут. Пожалуйста, не делитесь этой информацией ни с кем, пока я не позвоню и не сообщу вам, что Алан был дома и что он находится под арестом.

Фрэн положила трубку и объявила:

— Стив, у меня фантастическая новость! Все как я и говорила. Алана Кроули сейчас арестуют за убийство Керри.

Пятнадцать минут спустя Джун и Даг Кроули были разбужены настойчивыми ударами и звонками в дверь их дома. Догадываясь, что столь неожиданный визит может сулить только неприятности, хозяйка дома схватила халат и ринулась вниз по лестнице.

Она распахнула дверь и увидела на пороге двух мужчин в штатском и полицейского в форме, стоявшего между ними. Ей было невдомек, что еще один полицейский зашел с заднего двора, на случай если Алану вздумается бежать.

— Мэм, я детектив Уилсон из прокуратуры округа Берген. У нас ордер на арест Алана Кроули и обыск помещения, — объяснил один из пришедших. — Он сейчас находится здесь?

— Моего сына представляет адвокат Лестер Паркер, — сообщила миссис Кроули. — Вы обратились к нему?

— У вашего сына будет право пообщаться с адвокатом позже. Мы должны арестовать его.

Не спрашивая разрешения, Уилсон распахнул настежь дверь и прошел мимо Джун в дом. Его коллега-детектив и полицейский в форме последовали за ним.

К этому времени Даг и Алан уже с грохотом спускались по лестнице. Они услышали слово «арест», и молодой человек схватил отца за руку. На нем были только трусы и майка.

Он посмотрел на Майкла Уилсона и спросил:

— Могу я хотя бы одеться?

— Да, — ответил тот, — вы можете одеться. Мы проследуем за вами в комнату.

Оба детектива поднялись наверх за Аланом и прошли по коридору в его спальню. На полу у окна стояли две полусобранные сумки, а рядом из раскрытого «найковского» рюкзака торчали несколько деревянных бит и две бейсбольные перчатки.

— Вы куда-то собрались, Алан? — поинтересовался Майк, хотя и знал ответ.

— Послезавтра я собираюсь ехать в колледж, — сказал Кроули-младший. — Я еще успею?

— Посмотрим, как пойдет дело, — бесстрастно ответил следователь.

Потом он увидел, как парень достал из шкафа джинсы и кроссовки, и покачал головой.

— Извините, Алан. Никаких шнурков, ремня и аксессуаров.

Вернувшись в свою спальню, Джун принялась судорожно названивать в офис Лестера Паркера. Услышав голосовую почту, она от расстройства завопила:

— Это Джун Кроули! К нам пришла полиция с ордером на арест Алана! Срочно позвоните мне на мобильный.

После этого женщина направилась к шкафу и достала оттуда спортивный костюм.

Дуг в ускоренном темпе натягивал брюки и рубашку. Они успели спуститься к тому времени, когда Алан в сопровождении двух детективов уже подходил к входной двери.

— Куда вы его забираете?! — выкрикнула Джун и охнула, разглядев руки сына, скованные за спиной наручниками.

— В окружную тюрьму Бергена в Хэкенсэке, — ответил Майк.

Миссис Кроули видела, как со своих подъездных дорожек за ними наблюдают двое соседей.

— Может кто-то из нас поехать вместе с Аланом? — крикнула она Уилсону.

— Нет, но вы можете последовать за нами в тюрьму.

Джун бежала, стараясь не отставать от полицейских и арестованного. Пока Майкл открывал заднюю дверцу своей машины, она вцепилась сыну в руку.

— Алан, я позвонила Лестеру Паркеру. Он со мной свяжется. Помни, что он тебе говорил. Не отвечай ни на какие вопросы, если его нет рядом.

В глазах у младшего Кроули стояли слезы. Он не успел ничего ответить матери. Уилсон положил ему на голову ладонь и, надавив сверху, уверенно подтолкнул его в салон. На машине не было маркировки, но внутри между передними и задними сиденьями была установлена железная решетка.

Джун на сводила глаз с сына, пока полицейский автомобиль медленно выезжал по их подъездной дорожке. Глядя, как удаляется машина Уилсона, обычно сдержанная миссис Кроули разрыдалась. «Мальчик мой, ой-ой-ой, господи, мой мальчик», — всхлипывала она, пока Даг, приобняв, вел ее к машине.

Съехав с Голливуд-авеню, полицейская машина помчалась по шоссе № 17. Дорога была почти свободна, так как им удалось опередить пик утренних пробок.

Потрясенный Алан пытался осознать происходящее. Всего несколько дней назад он в этой же машине ехал в Хэкенсэк. Но тогда он сидел на переднем сиденье и без наручников. Ему хотелось верить, что все это один долгий кошмарный сон. И что когда он проснется, то поедет к Керри, помирится с ней и поспешит домой косить газон. И заканчивать сборы в колледж. Но это не сработало. Это происходило с ним на самом деле.

Ни Уилсон, ни второй детектив не пытались завязать с ним беседу. До него донеслось, как они обсуждали чудовищно длинный ран[1], проделанный накануне вечером Аароном Джаджем из «Янки». Кроули тоже это видел. «Для них это очередной рабочий день, — подумал он. — Для меня же конец жизни».

Процесс оформления в тюрьме прошел как в тумане. Яркие вспышки фотоаппарата, пока его снимали анфас и в профиль. Еще раз взяли отпечатки пальцев. Задали целую кучу вопросов.

А потом Алана отвели в помещение без окон. Наручники с него сняли, а кроме того, ему вручили пакет, велели снять всю одежду и надеть тюремную. Он подумал, что нижнее белье можно оставить свое. Ему сказали надеть оранжевый комбинезон, который лежал тут же, на стойке.

После этого Кроули перевели в обезьянник, где находилось с десяток других людей. Вдоль

---

[1] В бейсболе осуществляемое по разным сценариям продвижение бегущего игрока через полный круг игровых баз, за которое присуждается очко.

стен и посередине стояли скамьи, а в глубине камеры, на виду у всех, красовался унитаз из нержавейки — скамья рядом с ним пустовала. Алан сел поближе к двери.

Примерно половина сидельцев были его возраста или чуть старше. Один человек, расположившийся поодаль от всех, ужасно смердел. Все сидели, большинство с опущенной головой.

Арестованные почти не разговаривали. Разве что один мужик делился опытом с новичками, а другой объяснял разницу между следственным изолятором и тюрьмой. «Если сидишь меньше трехсот шестидесяти пяти дней, ты в изоляторе, если триста шестьдесят пять дней и больше, ты в тюрьме».

Алан не успел позавтракать и очень хотел есть. Он поймал взгляд немолодого мужчины, сидевшего напротив.

— Скажите, а еду тут принято просить или они сами приносят, когда придет время?

Мужчина улыбнулся:

— Они приносят, но поверь, это не то, что ты попросишь.

В поле зрения часов не наблюдалось — их тут вообще нельзя было иметь. Кроули показалось, что прошло много долгих часов, прежде чем охранник отпер дверь. Вслед за охранником появился немолодой мужчина с тележкой, на которой лежали коричневые бумажные пакеты, один из которых дали Алану. Внутри он обнаружил сверток из вощеной бумаги, который положил на колени и развернул. На мякоти черствой булки лежали два куска какой-то ужасной колбасы, политой липким белым веществом. Должно быть, майонез, решил молодой человек.

От мужчины напротив не скрылось выражение его лица.

— Полагаю, филе-миньоны у них закончились, — ухмыльнулся он, откусывая от сэндвича.

Опасаясь, что обед будет не намного лучше, Алан заставил себя съесть половину своей порции. В пакете была еще бутылка воды — комплимент от штата Нью-Джерси.

Позже его вывели в зону отдыха в общей камере. Человек двадцать заключенных сидели на складных стульях и смотрели Си-эн-эн. По бокам небольшими группами устроились игроки в шахматы, шашки и карты. Время развлечений, с горечью подумал Кроули.

После полудня их строем отвели в помещение, считавшееся столовой. Вслед за другими Алан взял поднос и тарелку и направился на раздачу, где на тарелки черпаками кидали еду. Ели тут пластмассовыми вилками-ложками.

Он присмотрел полупустой стол, за которым сидели его ровесники. Они рассказывали друг другу, кто за что сел. Двоих поймали с героином, а еще один сидел за вождение в нетрезвом виде, причем уже в третий раз. Все посмотрели на Кроули, ожидая услышать его историю.

— Моя девушка погибла от несчастного случая. А меня обвинили, — рассказал он.

— Какого судью тебе назначили? — спросил один из его соседей по столу.

— Без понятия.

Когда обед закончился, их снова отвели в зону отдыха. Один из обедавших вместе с Аланом заключенных спросил:

— Ты играешь в шахматы?

— Играю, — ответил парень, и они сели за стол. За все время, что Кроули провел в тюрьме, это был единственный час, который прошел относительно быстро.

Через несколько минут после окончания игры охранники выстроились в ряд вдоль стены.

— По камерам, — объявил товарищ Алана по шахматам. — Увидимся завтра.

Тюремщик отпер камеру и подтолкнул его внутрь. По левой стене стояли нары, а в малюсенькое окошко была видна стоянка на заднем дворе суда.

Мужчина за тридцать, лежавший на нижней полке, взглянул на Кроули, когда тот вошел, и уткнулся обратно в книжку. Алан хотел было узнать, где можно взять чего-нибудь почитать, но он слишком нервничал, чтобы задавать вопросы.

Ему досталась верхняя полка, и он не мог решить, как ему поступить. Лестницы не было. Чтобы подтянуться наверх, ему придется наступить на нижнюю полку. Должен ли он спросить разрешения?

«Лучше не буду его беспокоить», — подумал молодой человек, поставив ногу на дальний конец нижней полки, и подтянулся наверх. Он с опаской ожидал выговора снизу. Но его не последовало.

Матрас был тонким и бугристым, а одеяло и простыня издавали резкий запах хлорки.

Заложив руки за голову, Алан стал смотреть в потолок. Заснуть ему удалось лишь через несколько часов. Особенно трудно было абстрагироваться от мощного храпа, доносившегося с нижней полки.

Пробудился он оттого, что рядом кто-то разговаривал, ходил и открывал раздвижные двери. Вслед за остальными парень поплёлся в то же помещение, где они накануне ели. На этот раз на завтрак.

Он направлялся вместе с остальными в зону отдыха, когда один из охранников рявкнул: «Алан Кроули!»

Алан робко поднял руку.

— Пошли, — охранник жестом показал ему на выход. Его провели по длинному коридору с дверями по обеим сторонам. На каждой двери были таблички с надписью «АДВОКАТ-КЛИЕНТ», после которой следовал номер. Конвоир открыл комнату номер 7. За столом Кроули увидел Лестера Паркера, рядом стоял его портфель. Юноша сел напротив.

— Как вы тут, Алан? — спросил Паркер, пока они пожимали друг другу руки.

— В шахматы меня не обыграли, — криво усмехнулся его клиент.

Юрист улыбнулся.

— Я разговаривал с помощником прокурора. Мы прошлись по обвинениям против вас. Завтра в одиннадцать вас доставят в зал суда. Я буду там.

— А после суда завтра я смогу отсюда выбраться?

— Я не буду с уверенностью утверждать, что это произойдет завтра, но я намерен настаивать, чтобы вас отпустили домой.

— А мои родители придут в суд?

— Да, и они не меньше вашего хотят, чтобы вы вернулись домой. Увидимся завтра. И помните, дело ни с кем не обсуждать.

35

Новость об аресте Алана разлетелась к полудню. Эйлин видела, как ученики читали в раздевалке на переменах сообщения на своих телефонах. Первым выступило интернет-издание NorthJersey.com. Мисс Даулинг достала было телефон, чтобы позвонить матери, но передумала.

К дому она подъехала без пары минут шесть, почти одновременно с отцом. Когда они уже вылезли из машин, Эйлин сказала:

— Уверена, об аресте Алана объявят сегодня по телевизору.

— Да уж. Я тоже об этом думаю, — кивнул Стив.

Открыв дверь дома, он крикнул жене:

— Я пришел!

Отец с дочерью поднялись в кабинет, где Фрэн смотрела новости на Втором канале. Они в молчании посмотрели повтор сюжета из пятичасового выпуска.

Мистер Даулинг подошел к супруге и обнял ее.

— Ты в норме? — спросил он.

— Да, — ответила женщина. — Я даже... — Она запнулась. — Рада, но это не то слово. Я никогда не успокоюсь. Но когда Алан сядет, у меня хоть будет ощущение, что справедливость восторжествовала.

— Мам, — сказала Эйлин, — помни, что Алан пока еще только обвиняемый. Это не означает, что...

Стив перебил дочь:

— Знаешь, обычно если человека арестовали, значит, есть уверенность, что это он, и есть достаточно доказательств, чтобы его осудить.

— Эйлин, а почему ты его защищаешь? — гневно спросила Фрэн. — Он убил твою сестру и потом врал.

— Мам, пап, прошу вас! — взмолилась девушка. — Я не хочу с вами ругаться. Когда Керри и Алан встречались, они постоянно ссорились, расходились, а потом снова сходились. Это повторялось множество раз. Но после ссоры на вечеринке, именно в этот раз он вернулся в дом и убил ее? Не знаю. Как-то не складывается.

— Что не складывается? — с жаром возразила Фрэн. — Ты же знаешь, что он соврал про то, что вернулся после вечеринки?

— Я понимаю, но послушайте, восемнадцатилетние ребята очень неуверены в себе. Я ежедневно имею с ними дело. Они думают, что уже взрослые, но это не так. В случае конфликта они ищут простые решения, даже если при этом придется обманывать, — Эйлин повысила голос. — Я бы тоже занервничала, если бы ко мне явился полицейский и повез на допрос. Могу себе представить, как бы я запаниковала в подобной ситуации десять лет назад, когда мне самой было восемнадцать.

Но миссис Даулинг не желала ничего слушать.

— Ты можешь подводить тут любую теоретическую базу. Мне плевать, был он напуган или нет. Алан Кроули убил Керри, и он за это заплатит.

— Фрэн, Эйлин, — вмешался Стив, — меньше всего нам сейчас нужно переругаться между собой. Будет суд, и мы узнаем правду.

Но последнее слово осталось за его женой:

— Ты имеешь в виду, что будет суд, на котором его признают виновным.

36

Из тюрьмы Алана отконвоировали в смежное здание суда, где в 11.30 он должен был предстать перед судьей. Охранники посадили молодого человека рядом с ожидавшим его Лестером Паркером.

С одной стороны зала в первом ряду сидели его родители. Мать охнула, увидев сына в оранжевом комбинезоне. Сегодня руки его были скованы спереди.

На другой стороне зала, тоже в первом ряду, находились Фрэн и Стив Даулинг. Алан отвернулся — он не мог смотреть им в глаза.

Помощник прокурора зачитал обвинение. Убийство, владение орудием для незаконного использования — клюшкой для гольфа, давление на свидетелей. Судья, лысеющий мужчина в очках, поднятых на лоб, обернулся к Лестеру Паркеру:

— Защита, признает ли ваш клиент свою вину?

— Не признает, ваша честь — ответил адвокат.

Обращаясь к помощнику прокурора, судья констатировал:

— Ваша сторона выдвинула ходатайство о задержании подзащитного до суда.

— Ваша честь, у штата имеется обоснованное обвинение против Алана Кроули, — начал объяснять тот. — Наше расследование показало, что он посетил вечеринку, проходившую в доме Керри Даулинг в день ее смерти, и приревновал ее, когда она разговаривала с другим молодым человеком. Мы полагаем, что позже тем же вечером, после того как все уехали, он вернулся и нанес ей по голове удар клюшкой для гольфа. Она упала в бассейн, находившийся во дворе ее дома. Родственники убитой обнаружили ее в бассейне на следующее утро. Кроули солгал детективу о том, где он находился в момент совершения преступления, а также склонил нескольких свидетелей дать ложные показания в его пользу. Они это уже подтвердили. Кроме того, он так и не признался в том, что держал в руках клюшку для гольфа в тот вечер, хотя на ней есть его отпечатки.

Помощник прокурора сделал паузу и продолжил:

— Ваша честь, у нас есть серьезные основания полагать, что Кроули может скрыться, если его выпустят на свободу. Ему грозит пожизненное заключение. Он уже пытался манипулировать свидетелями и может повторить попытку.

Слушая выступающего, который так красочно рисовал картину его злодеяний, Алан опустил голову и зажмурил глаза.

Паркер ответил громко и энергично:

— Ваша честь, у моего клиента нет приводов в полицию. Ему даже никогда не выписывали штрафов за превышение скорости, и он никогда не проявлял склонности к насилию. Он родился и проживает в Сэддл-Ривер в одном доме со своими родителями. И является их единственным ребенком. Три месяца назад он окончил среднюю школу и через несколько дней должен поехать учиться в Принстон. У него нет собственных средств к существованию.

Защитник тоже сделал небольшую паузу.

— Ваша честь, — заговорил он снова, — мне были предоставлены материалы следствия. Обвинение забыло упомянуть, что свидетелей преступления нет. Оно также не довело до вашего сведения, что на клюшке для гольфа есть, по крайней мере, еще два неидентифицированных отпечатка. Один из них может принадлежать настоящему преступнику, совершившему это ужасное злодеяние. В материалах следствия также указано, что Керри встречалась с молодым человеком, который недавно помог ей поменять колесо. Жертва говорила своим подругам, что этот человек достал алкоголь для вечеринки и впал в агрессию, когда она отклонила его домогательства. Этот человек так и не был найден, хотя он и должен представлять серьезный интерес для следствия. Ваша честь, у нас больше не применяется система залога. Вы либо задерживаете подозреваемого, либо отпускаете. Было бы несправедливо держать его под стражей целый год или дольше до суда. Мы намерены основательно оспорить все выдвинутые против него обвинения. У штата нет причин считать его опасным для общества элементом или вероятным беглецом от правосудия.

В торжественной тишине судья обдумал аргументы сторон.

— Это трудное решение, — произнес он наконец. — Алана Кроули обвиняют в совершении тяжкого преступления. Я тщательно изучил выводы обвинения в пользу содержания его под стражей. Но защита также предоставила убедительную аргументацию. Обвиняемому восемнадцать лет. Я не думаю, что велик риск его бегства. Нет и доказательств того, что он представляет опасность для кого-либо конкретно. Защита указала, что свидетелей преступления нет, а улики носят косвенный характер. Учитывая все эти обстоятельства, я принимаю решение. Обвиняемый освобождается на следующих условиях. Он будет постоянно носить электронный браслет. Он не имеет права покидать территорию штата Нью-Джерси без разрешения этого суда. Ему надлежит проживать в доме его родителей в Сэддл-Ривер либо в общежитии университета, который, как я понимаю, находится в штате Нью-Джерси. Он не имеет права вступать в контакт с членами семьи потерпевшей. Обвиняемый будет препровожден в тюрьму округа Берген, где на него наденут браслет, а затем будет отпущен.

Плечи младшего Кроули обмякли — было видно, что с него спало напряжение. Паркер положил руку ему на плечо и прошептал:

— Все хорошо, Алан. Поезжайте домой и отдохните. Я позвоню вам завтра. Не забывайте: нельзя обсуждать ваше дело ни с кем, кроме родителей.

Чтобы избежать конфронтации двух семей, помощники шерифа сначала вывели из зала суда Даулингов. Как только те зашли в лифт, родителям Алана разрешили покинуть зал.

37

Джун Кроули везла домой мужа и сына в очень плохом настроении. После предъявления обвинения Алана вернули в здание тюрьмы, где оформляли на выход целых два часа. Всю дорогу до Сэддл-Ривер он сидел с закрытыми глазами, притворяясь спящим, и на протяжении всех двадцати пяти минут поездки в машине царило молчание. Все они очень хотели есть. Даг и Джун едва успели позавтракать, и если не считать кофе, выпитого в суде, не ели ничего с раннего утра. Алан же настолько переживал перед заседанием суда, что даже не прикоснулся к тюремному завтраку.

Они сразу направились на кухню и были рады, что у Бренды был готов ранний ужин. Как обычно, у нее на кухне работал маленький телевизор. Все члены семьи застыли, услышав свою фамилию, и посмотрели на экран, где Алана в наручниках и тюремном комбинезоне вводили в зал суда. Репортер сообщал: «Алан Кроули, бойфренд убитой девушки Керри Даулинг, был доставлен сегодня утром в суд. В присутствии судьи Пола Мартинеса ему было предъявлено обвинение в убийстве, владении опасным предметом с незаконными целями и давлении на свидетелей. Свою вину он не признает. После установки электронного браслета его отпустили под ответственность родителей. Джун Кроули, мать обвиняемого, согласилась выступить на камеру после вынесения обвинения». На экране появилась миссис Кроули. «Мой сын ни при каких обстоятельствах не мог совершить это преступление, — объявила она. — Он любил Керри. Единственная причина, по которой он вернулся в ее дом в ту ночь, — это чтобы помочь ей прибраться после вечеринки и убедиться, что с ней все в порядке. Полиция запугала мальчика, которому только-только исполнилось восемнадцать лет. Они забрали его из дома в воскресенье утром, пока мы с мужем были в отъезде. Его отвезли в прокуратуру, допросили и запугали так, что он вынужден был сказать неправду. А теперь они говорят, что, раз он солгал, значит, это он ее и убил».

Интервью Джун было прервано не скрывавшим своего раздражения Лестером Паркером, который оттащил ее от микрофона. Он заявил: «Защита Алана будет активной и решительной. Когда все факты станут достоянием общественности, он будет оправдан. Никаких других заявлений не будет вплоть до начала суда».

Когда новости переключились на другой сюжет, повисло неловкое молчание.

— Есть мясной рулет, овощи и картошка, надо только разогреть, — сказала Бренда, сочувственно улыбнувшись Алану. — Я вас оставлю, — попрощалась она и заторопилась к двери.

38

За ужином на кухне Мардж включила телевизор, чтобы посмотреть шестичасовые новости. Главной темой было предъявление обвинения Алану Кроули. Она видела, как бледный и напряженный Алан покидает зал суда, а за ним по пятам следуют фотографы и репортеры.

— Это Алан Кроули, — сказал Джейми.

— А разве ты знаком с ним? — удивилась его мать.

— Он был другом Керри, пока она не улетела на небо.

— Да.

— Он ее целовал.

— Да, — повторила Мардж.

— Он поцеловал ее, а потом она пошла плавать и улетела на небо.

— Джейми, ты говоришь про тот вечер, когда у Керри были гости и когда ты плавал с ней?

— Я обещал про это не говорить.

— Сейчас можно говорить об этом, Джейми. Что сделал Алан, после того как поцеловал Керри?

— Он обнял ее и поехал домой.

— А что было потом, Джейми?

— Здоровяк ударил Керри и столкнул ее в бассейн.

— Джейми, ты уверен?

— Вот тебе крест. Папа называл меня Здоровяком, правда, мам?

— Да, Джейми, это так. Но помни, мы ни с кем не говорим о том, что случилось в ту ночь, когда Керри улетела на небо. Это наш секрет.

— Вот тебе крест, мам. Я никому не говорил.

После ужина Джейми, как обычно, поднялся к себе смотреть телевизор. С тяжелым сердцем Мардж, оставшись на кухне, заварила себе еще чаю. Она ясно понимала, что рассказал ей сын. Если он описывал ту ночь, когда убили Керри, то после отъезда Алана Керри была еще жива. Мог ли Алан вернуться и убить Керри? Это возможно, подумала она, но зачем ему это делать? Здоровяк, о котором говорил Джейми, — это явно не Алан. Но кто же это?

«Если Джейми расскажет о Здоровяке детективу — а он всегда добавляет, что так его называл Джек, — они решат, что он говорит о себе, — думала Чэпмен. — Могу себе представить, что сейчас испытывают Кроули. Что бы я почувствовала, если бы арестовали Джейми? Его бы это так напугало! Я не знаю, что мне делать. Я просто не знаю, что мне делать».

39

Детектив Майк Уилсон никак не мог успокоиться. Он был очень расстроен тем, что не смог в своем расследовании распутать до конца все узелки.

У него практически не было информации, которая привела бы его к тому типу, что продал Керри пиво и потом пытался на нее накинуться. По словам подруги Керри, этот мужчина предложил встретиться у нее дома после вечеринки.

Допустим, он появился после ухода Алана. Причем он уже проявлял агрессию по отношению к Керри. Если она опять ему отказала, мог он применить насилие?

Была только одна возможность выйти на него.

На следующий день следователь позвонил сестре Керри на работу.

— Эйлин, несмотря на то что Алану предъявили обвинение, мне все еще нужно сделать кое-что, чтобы завершить расследование. Вы могли бы мне очень помочь в этом.

— Ну конечно, — ответила Даулинг.

— Я бы хотел встретиться с вами и поговорить об этом.

— Давайте. Вы можете прийти к нам домой.

— Нет. Эту тему я обсудил бы с вами наедине.

— Когда вы хотите это сделать?

— Вы свободны сегодня вечером?

— Свободна.

— Я предпочел бы отъехать подальше от Сэддл-Ривер, где нас все знают.

Они договорились встретиться и поужинать в придорожном кафе на Олд-Хук-роуд в Вест-вуде. Эйлин приехала туда в 17.30. Майк помахал ей из угловой кабинки, и она села напротив него.

— После того как мы поговорили, я подумал, что вы предпочтете пойти туда, где можно выпить бокал вина, а не чашку кофе, — сказал полицейский.

— Честно говоря, я бы так и поступила. Я пью слишком много кофе.

— Эйлин, — улыбнулся Уилсон, — в соседнем здании только что открылся ирландский бар. Нам даже не придется переставлять машины. Вы не хотите пройтись?

— С удовольствием.

Через пять минут они уже сидели за угловым столиком в баре «О'Мэлли». Мисс Даулинг пригубила свой пино-гриджо[1], а Майкл сделал первый глоток пива.

— Эйлин, я знаю, как ваша мать настроена против Кроули, поэтому я и не хотел вести этот разговор в ее присутствии, — начал он. — Я тоже верю, что он это сделал, но остаются еще две неясности, которые мне очень хочется проверить. Во-первых, надо найти того человека, который помог Керри с покрышкой.

— Я могу вам в этом как-нибудь помочь?

— Семь девушек с вечеринки учатся в выпускном классе. Но они несовершеннолетние. Их родители не позволили им встретиться со мной. Но вы, как школьный психолог, в процессе работы столкнетесь с кем-то из них.

— Полагаю, что столкнусь в какой-то момент.

— Думаете, они захотят поговорить с вами о Керри?

— Возможно.

— Керри ведь рассказала одной девушке про того парня, что помог ей с шиной. Она могла поделиться этим и с другими. Если они заговорят с вами о Керри, могли бы вы поднять эту тему?

Эйлин выдохнула.

— Вы должны понимать, что я и так уже ступила на зыбкую почву. Правила конфиденциальности для школьных психологов весьма строгие.

---

[1] Итальянская разновидность белого вина.

— Я это понимаю. Я ведь не прошу раскрывать мне личную информацию. Может быть, мне даже не понадобится имя девушки, которая поделится с вами. Но если кто-нибудь из них знает нечто, что приведет меня к этому парню, это очень поможет следствию. Если я передам вам список имен, вы сможете поговорить с ними о Керри и попробовать поднять тему парня, который менял ей колесо?

Даулинг на минуту задумалась. Ей снова пришло в голову, что она рискует своей работой. Но, с другой стороны, она же видела растерянный взгляд Алана Кроули, когда его снимали в зале суда, в наручниках и тюремном комбинезоне. Если есть хоть малейший шанс, что он невиновен...

— Я сделаю это, — твердо пообещала девушка.

Серьезное лицо Майка прояснилось.

— Спасибо вам. Эта ниточка может в результате ни к чему не привести, но я должен ее проверить.

Детектив поднял кружку, стоявшую перед ним.

— Кружка пива в конце дня — это то, что доктор прописал, — произнес он.

— Как и бокал вина.

— За это и выпьем. — Уилсон потянулся к собеседнице, и они чокнулись.

— Вы ведь еще о чем-то хотели со мной поговорить, — в голосе Эйлин прозвучала вопросительная интонация.

— Не уверен, что это важно, но последнее сообщение, которое Керри прислала вам в день вечеринки, не дает мне покоя. Вы сказали, она любила все драматизировать, но я хочу спросить, нет ли у вас каких-либо соображений по поводу его содержания.

— Я уже много раз задавала себе этот вопрос, — медленно ответила Эйлин. — Мой ответ: нет. Керри могла написать что-то вроде: «Получила отлично на двух уроках» или «Поздравь, мы победили в трех играх подряд». Но фраза типа «Я хочу обсудить с тобой нечто очень важное» не в ее духе.

— Эйлин, я знаю, что Керри и Алан часто ссорились и на следующий день мирились опять. Вам не кажется, что она могла иметь в виду его?

— Скажу так, я просто не знаю, — покачала головой Даулинг.

— Я так и думал. — Майкл отхлебнул пива. — Я прошу вас разговорить этих девушек и спросить их, не упоминала ли Керри о чем-то «очень важном».

На этот раз Эйлин ответила без колебаний:

— Сделаю и это.

— Тогда мы с вами в одной команде. — Следователь немного помолчал, а потом добавил: — Я уже хочу есть. Есть ли смысл просить вас остаться? Я нашел это место в прошлом месяце. Не знаю, где они взяли своего шеф-повара, но готовит он отлично.

Второе приглашение на ужин за несколько дней, подумала мисс Даулинг.

Ее родители остались ужинать с друзьями в клубе. «А почему бы и нет?» — спросила она себя.

— Надеюсь, тут подают говяжью солонину с капустой, — сказала девушка вслух.

— Как в каждом ирландском пабе, — ответил Майк. — Я заказывал на той неделе. Рекомендую.

— Вы меня убедили.

Ужин оправдал обещания полицейского. За столом они рассказывали друг другу о себе.

— Я училась в Колумбийском университете, — сообщила Эйлин. — Всегда хотела стать соцработником или учительницей. Но когда я готовилась к защите диплома, то решила, что профессия школьного психолога мне как раз подходит. Мне действительно очень нравится помогать ребятам делать жизненный выбор.

— Я тоже родился здесь. Вырос в Вашингтон-Тауншипе, играл за футбольную команду Сент-Джо в Монтвейле и учился в Мичиганском университете — рассказал Уилсон и добавил: — Нет, в футбол я там не играл.

— А ваши родители, семья все еще живут в Вашингтон-Тауншипе?

— Я — единственный ребенок, и нет, сразу после того как я окончил школу, родители переехали в Нью-Йорк. Отец смог пешком ходить на работу в свою адвокатскую фирму, а мама всегда любила быть поближе к искусству.

— А чем вы занимались после окончания университета?

— Я понял, что хочу заниматься уголовным правом. Получил степень магистра в колледже Джона Джея на Манхэттене. Прежде чем оказаться в прокуратуре, я пару лет трудился в полиции Волдвика. В июне окончил четыре мучительных года вечернего обучения в юридической школе Сетон-Холл.

— Вы, похоже, человек целеустремленный. А что вы собираетесь делать со своей юридической степенью?

— Для начала собираюсь сдать адвокатский экзамен. А дальше посмотрим. Но если я буду делать карьеру в полиции, юридическая степень окажется очень кстати.

— Вам уже приходилось работать с семьями, похожими на нашу, где один из членов семьи стал жертвой убийства?

— За те шесть лет, что я служу в прокуратуре, таких семей, к сожалению, было много.

— Я — школьный психолог и должна быть экспертом в стратегиях преодоления трудностей. Я знаю, как трудно сейчас мне, но я вижу, что отца и маму буквально разворотило на куски. Есть ли шанс, что они снова обретут душевный покой?

— Когда закончится суд и справедливость восторжествует — вот тогда они начнут приходить в себя.

— Я на это надеюсь, — произнесла Эйлин. — Они мне очень помогли, когда я сама испытывала адские муки.

На лице Майка отразилось недоумение, и она рассказала ему, как в аварии с участием пьяного водителя погиб ее жених Рик.

— А что было тому водителю? — спросил следователь.

— Его признали невиновным, после того как его приятель дал ложные показания. Свидетелей аварии не было. Но мы считаем, что его пассажир, который был его другом и к тому же не пил в тот вечер, поменялся с ним местами до прибытия полиции. Другие свидетели, бывшие на вечеринке, показали, что, когда он уезжал, а это произошло за несколько минут до аварии, он был пьян и сам сидел за рулем. И это была его машина. Но, насколько я понимаю, присяжные засомневались и отпустили его.

— Такое иногда происходит.

Эйлин подумала, а потом добавила дрожащим голосом:

— Теперь он женат, у него двое детей и хорошая работа на Уолл-стрит. Он продолжает жить счастливо.

— Как же вам удалось пережить это? — мягко спросил Майк.

— Поначалу я злилась и возмущалась. Поэтому и уехала в Лондон, в Международную школу. Мне хотелось оказаться как можно дальше от всего этого. Долгое время мне было очень горько. Но однажды я проснулась и осознала, что, не принимая случившееся, я просто разрушаю себя. А потом я поняла, что горечь и злость ничего не изменят. Как бы все ни было несправедливо и сложно, мне надо двигаться дальше, или я сойду с ума.

— Я рад, что вы сделали этот выбор. Я уверен, что ваш жених хотел бы, чтобы вы поступили именно так.

— Согласна. — На минуту Эйлин задумалась, а затем ее лицо прояснилось. — Я сейчас кое-что поняла. Как только я вас впервые увидела в нашем доме, мне показалось, что я вас знаю. В тот год, когда я перешла в старшие классы, мы с девчонками ходили смотреть весеннюю постановку «Вестсайдской истории»[1] в Сент-Джо. Это не вы там, часом, пели?

— Я только что встретил девушку по имени Ма-РИИ-я! — приглушенным голосом пропел детектив.

— Так это были вы! Я очень люблю эту песню. Вы так замечательно ее исполняли! У меня приличное сопрано. Я бы спела вместе с вами, но не хочу, чтобы нас выставили из бара.

— Ну, если эта им не понравится, мы затянем «Дэнни Бой».

Даулинг засмеялась искренним смехом. В тот момент она поняла, что впервые за долгое время ей действительно хорошо.

40

На следующий день после заседания суда Алан проснулся как с похмелья. Ему снился сон про Керри и те последние минуты, что он был с ней.

---

[1] Один из самых известных американских мюзиклов (1957).

Обойдя вокруг дома, он на мгновение останавливается в нерешительности. Поцелуй на прощание. Похороны. И Керри спрашивает его: «Алан, почему ты в наручниках?» Репортеры. Ему в лицо выкрикивают вопросы.

Когда он открыл глаза, было без четверти восемь. Но как только его сознание прояснилось, на него обрушилась реальность. Что будет дальше? Завтра он должен ехать в Принстон.

Кроули взглянул на свои полусобранные вещи. «Смогу ли я закончить сборы?» — думал он, направляясь в душ.

Когда Алан спустился вниз, мать с отцом уже сидели за столом на кухне и пили кофе. Оба выглядели неважно, как после плохо проведенной ночи. «Переживают за меня», — с горечью подумал молодой человек. Перед Дагом лежал открытый лэптоп.

Оторвавшись от компьютера, он встретил сына вопросом:

— Алан, ты уже проверял сегодня почту?

— Нет, а что?

Супруги Кроули переглянулись.

— Алан, — сказала Джун. — Мы с папой получили письмо из Принстона. Ты стоишь в копии. К нам обратился председатель приемной комиссии. Они предлагают сегодня провести телеконференцию.

— Сегодня? — спросил юноша. — Значит, они хотят переговорить с нами до того, как я уеду. Скорее всего, они скажут, что передумали и отказывают мне.

— Алан, — произнес его отец, — давай не будем забегать вперед. Я ответил, что мы готовы связаться с ними в девять утра.

— Не стоит ли нам пригласить Лестера Паркера? — предложила Джун.

— Давай сначала послушаем их, а потом уже будем думать о привлечении адвокатов, — сказал ее муж.

Алан был уверен, что завтра ехать в Принстон ему не придется. Родителям он не стал озвучивать свои опасения, хотя по их лицам видел, что они думали о том же самом. Он вспомнил, как они вдалбливали ему, что нужно хорошо учиться: «Все потому, что образование, полученное в Лиге Плюща, "определяет твою судьбу"». Но Принстон теперь сделал ему ручкой.

Мать предложила приготовить ему французский тост, его любимый. Таким же тоном она предлагала ему мороженое, после того как ему удалили гланды. Несмотря ни на что, молодой человек испытывал голод.

— Хорошо, спасибо, — ответил он.

Завтрак прошел в молчании. Без одной минуты девять Даг набрал присланный номер и присоединился к телеконференции, после чего включил громкую связь.

Председатель приемной комиссии Принстона Дэвид Уиллис произнес:

— Я также хочу вас познакомить с Лоренсом Ноллсом, главным юрисконсультом Принстонского университета.

Они поздоровались, и Уиллис перешел к делу:

— Алан, нам известно о неприятных обстоятельствах, в которых вы оказались. Мы пришли к выводу, что в интересах всех сторон лучше будет, если вы отложите ваше поступление до того момента, когда ситуация будет благополучно разрешена.

— Но мы планируем завтра привезти Алана на регистрацию первокурсников, — сказала Джун.

— Я знаю, миссис Кроули. Поэтому мы с вами и разговариваем сегодня.

— Вы сказали: «Если вы отложите поступление», — вступил в разговор Даг. — Значит ли это, что у Алана есть выбор или же это необходимость?

— Прошу прощенья, если я выразился недостаточно ясно. Будет неудобно при сложившихся обстоятельствах, если Алан все-таки займет место в аудитории первого курса.

— Что это значит? — потребовала ответа миссис Кроули.

На этот раз заговорил юрист:

— Это значит, что после того как с Алана будут сняты все обвинения, он сможет снова подать заявление о допуске к занятиям.

— Я говорила, что следовало позвать Лестера Паркера, — перебила его Джун, испепеляя мужа взглядом.

— Мы компенсируем вам сумму, которую вы уже заплатили, — добавил Уиллис.

— Как вы узнали про то, что со мной произошло? — поинтересовался Алан.

— Мы прилагаем определенные усилия, чтобы наблюдать за теми, кто собирается к нам поступать, — ответил Лоренс Ноллс. — Однако я не стану раскрывать наши источники.

После окончания телеконференции Ноллс позвонил Уиллису. Тот сразу же поднял трубку.

— Дэвид, — сказал он, — полагаю, все прошло как нельзя лучше.

— Вы считаете, они не опротестуют наше решение?

— Сомневаюсь. Любой юрист, который проверит наши правила приема, увидит, что пункт о нравственных принципах дает нам возможность широко интерпретировать наши права в отношении того, кто может быть принят в университет, а кто нет.

— Кстати говоря, — добавил Уиллис, — наш сервис по мониторингу новостей, кажется, работает. Сегодня утром я получил письмо от пиарагентства. В приложении была статья из газеты северного Нью-Джерси о «принятом в Принстон Алане Кроули, которого арестовали за убийство».

— Ну что ж, это обнадеживает, — отреагировал Лоренс.

— Да, — согласился его собеседник.

Хотя в данном случае мониторинг им не понадобился. В приемную комиссию поступило два звонка, касающихся Алана Кроули. Первый звонок был вежливым, почти извиняющимся, а вот второй звонивший не скрывал недовольства и требовал объяснить, какого рода абитуриенты становятся теперь студентами Принстона.

41

Шли дни, и Мардж все больше беспокоилась за Джейми. Обычно бодрый по утрам и всегда рвущийся на работу, он стал очень молчаливым, а ее попытки разговорить сына неизменно сводились к Керри: «Керри на небе с папой. Я тоже хочу к ним».

— Однажды ты попадешь туда, но это случится не скоро. Ты нужен мне здесь, Джейми, — ответила на это его мать.

— Но ты тоже можешь быть там с нами, — возразил юноша.

А в другой раз он ни с того ни с сего спросил:

— А на небе люди плавают, как Керри?

— Может быть, — сказала Мардж.

«Господи, пусть он перестанет упоминать имя Керри!» — взмолилась она про себя и попыталась сменить тему разговора:

— Начался футбольный сезон, ты хотел бы опять смотреть тренировки?

— Они тоже здоровяки.

— Кто-нибудь называл тебя Здоровяком, Джейми?

— Папа.

— Это я помню. А кто-нибудь еще называл?

— Я сам себя так называю, — улыбнулся молодой человек.

Мардж с отчаянием подумала, что он в любой момент заговорит с кем-нибудь об этом и попадет в беду.

42

Эйлин Даулинг начала втягиваться в школьный ритм. Выполняя обещание, данное Майку, она попыталась поговорить с несколькими девушками, которые были на вечеринке у Керри, но отказались говорить с полицией. Дело шло крайне медленно, однако подмога пришла с неожиданной стороны — от Пэт Тарлетон, которая как-то утром заглянула к ней в кабинет.

— Доброе утро, Эйлин. Как дела дома?

— Нормально, — вздохнула Даулинг.

— Что-то случилось? — насторожилась Пэт.

— Вчера вечером за ужином мы с мамой повздорили, — призналась девушка и, немного помолчав, уточнила: — Скажем так, мы откровенно обменялись мнениями.

— Вот как? О чем же?

— Мама сообщила, что позвонила в Принстон и высказалась по поводу того, кто теперь поступает к ним учиться. Естественно, она имела в виду Алана Кроули. Я сказала ей, что она не права. Его пока только обвинили в преступлении. Он не был осужден. Я попросила ее не вмешиваться в это дело. Нет нужды говорить, что она была категорически со мной не согласна.

— Эйлин, мне жаль.

— Ничего, Пэт. Мы уже помирились.

— Да нет, Эйлин, мне жаль, что я не сказала вам, что это я звонила в Принстон, чтобы сообщить им об аресте Алана.

— Я вас не понимаю, Пэт. Чего ради вы?..

— Потому, Эйлин, что у меня долг перед нашей школой и перед нынешними и будущими ее учениками. В этом городе каждый родитель спит и видит свое чадо в Лиге Плюща, или в Нотр-Дам, или в Джорджтауне. Вам хорошо известно, какая там конкуренция за места. Для школы Сэддл-Ривер важно сохранять хорошие отношения с университетами, в том числе и с Принстоном. Если мы не предупредим их, что один из наших учеников, который был принят к ним, способен испортить им репутацию, они могут очень существенно усложнить поступление для других наших выпускников. — Директор ненадолго замолчала, а потом заговорила снова. — Мне это не доставило удовольствия, но я должна была им позвонить. Однако, скажи я вам раньше, я бы избавила вас от ссоры с матерью.

— Я об этом не подумала, Пэт. Полагаю, мне еще многому предстоит научиться.

— Вы прекрасно справляетесь, — сказала Тарлетон. — Так, а теперь поговорим о том, ради чего я к вам зашла. Эйлин, я хочу попросить вас об одолжении и обещаю, что если вы откажетесь, я вас пойму. Большинство девочек из команды по лакроссу окончили школу весной вместе с Керри и уже разъехались по колледжам. Но те, которые перешли сейчас в выпускной класс, до сих пор тщетно пытаются примириться с тем, что случилось с вашей сестрой. На мой взгляд, им было бы полезно поговорить с вами о своих чувствах. Я хотела бы, чтобы вы помогли им как школьный психолог. Но я понимаю, что...

— Пэт, все хорошо, — прервала ее Эйлин. — Мне самой станет легче, если я смогу услышать про Керри от ее друзей. Я бы очень хотела с ними поработать.

Директриса ушла, пообещав прислать по почте имена подруг Керри, и у Даулинг словно гора с плеч свалилась. Ей не придется каждый раз изобретать предлог, чтобы встретиться с этими девочками. Пэт сама ее об этом попросила.

Пока не прозвенел звонок на первую перемену, Эйлин зашла в учительскую, чтобы выпить вторую чашку кофе. Там среди прочих она увидела Скотта Кимбелла, который беседовал с красивой, недавно появившейся в их школе учительницей истории. Она глядела на него с восхищением. «Должна признать, он привлекательный мужчина», — подумала психолог. Она прикинула, что новой учительнице, Барбаре Багли, было около тридцати и она явно была неравнодушна к Скотту.

Ее догадки подтвердились, когда Барбара сказала ему:

— Ко мне в гости из Кливленда приезжают родители. Они с удовольствием сходят в какой-нибудь хороший ресторан. Что вы можете мне порекомендовать?

Махнув рукой мисс Даулинг и приглашая ее присоединиться к разговору, тренер ответил:

— На прошлой неделе мы с Эйлин отлично поужинали во французском ресторане «Ла Петит» в Найяке. Тебе ведь там понравилось, Эйлин?

Даулинг ошиблась, полагая, что Скотт не станет афишировать их совместный ужин. Она огляделась вокруг. Их беседа явно не прошла мимо ушей находившихся в учительской коллег. С трудом сдерживая раздражение, она ответила:

— «Ла Петит» — прекрасный ресторан. Я уверена, Барбара, что вам и вашим родителям там очень понравится.

И направилась к кофемашине, чтобы избежать дальнейших светских бесед. Наливая кофе, Эйлин говорила себе, что первый и последний раз пошла куда-то со Скоттом Кимбеллом. Больше она не даст ему шанса поставить ее в неловкое положение.

43

Вся следующая неделя прошла у Алана как во сне. Он помнил, как разбирал вещи, развешивая их в шкафу и отправляя в ящики комода. «Мать всегда настаивала, чтобы все было аккуратно, — думал он. — Если что-то валялось на полу, я получал от нее подзатыльники».

Он не знал, куда себя деть. Отец предложил ему подыскать временную работу. «Временную? — спрашивал себя молодой человек. — До какого времени? Пока не начнется суд и меня не осудят за убийство?»

Он постоянно думал о Керри. На память то и дело приходило, как здорово им было вместе. На выпускном балу в мае. После бала, когда они поехали на побережье. И хотя оба легли поздно, наутро они поднялись пораньше и пошли гулять по берегу. Кроули вновь ощущал под босыми ногами теплый песок и слышал, как Керри говорит:

— Алан, на балу ты был самый красивый. Я так рада, что ты позволил мне выбрать для тебя смокинг! Он был идеален.

И он тоже был самым счастливым парнем на балу, потому что рядом с ним была самая красивая девушка в зале.

Сначала младший Кроули каждый день после завтрака отправлялся к ней на могилу. Но потом перестал, заметив, что кто-то фотографирует его у семейного захоронения Даулингов.

Фотографию напечатали на следующий день на первой странице газеты «Рекорд».

До ареста он отличался отменным аппетитом. Теперь же ему кусок в горло не лез. А еще больше его напрягало, что мать постоянно напоминала ему о том, что надо поесть.

— Мам, ты что, откармливаешь меня, чтобы на суде все увидели, как ты обо мне заботишься? — не выдержал юноша в конце концов.

— Алан, подобные истерики ты закатывал, когда был ребенком, — отозвалась миссис Кроули. — Я не терпела их тогда и не собираюсь терпеть сейчас. Я понимаю, что ты расстроен, но и мы с твоим отцом тоже расстроены. Мы не срываем свое раздражение на тебе, и ты не срывай свое на нас.

Она до самого конца будет заставлять всех ходить по струнке, подумалось ее сыну.

Как всегда, последнее слово оставалось за ней:

— И не забывай, что ты оказался в этой ситуации исключительно по причине своего дурного характера. Если бы ты не поссорился с Керри и не врал, ты был бы сейчас в Принстоне.

После этой пикировки Алан поклялся как можно меньше общаться с родителями. Будучи не в состоянии заснуть ночью, он спал днем.

Его мать вернулась в больницу Энглвуда, где она работала медсестрой в реанимации. Отец взял лишь пару дней отпуска, когда Алана арестовали, и теперь тоже продолжал работать.

В 7.14 он, как обычно, уже садился в поезд до города.

Единственным человеком, с которым Кроули-младший поддерживал общение, была их давняя домработница Бренда Нимейер. Ее сочувствие и тревога за него представляли собой разительный контраст с поведением родителей. Как-то днем, нажарив ему блинчиков, Бренда сказала:

— Алан, я знаю, что ты ни за что на свете не обидел бы эту бедную девочку. Все у тебя будет хорошо. Я чувствую это всем своим нутром.

— Позаботься о своем нутре, Бренда. Только оно в меня и верит. — По лицу молодого человека скользнула тень улыбки.

Все его друзья уже разъехались по колледжам, и от них не было никаких известий. Алан послал им несколько сообщений и писем, но ответа не получил. Он мог понять, почему Рич, Стен и Бобби злятся на него. Но почему остальные его предали? Стоило ли этому удивляться?

Чувство одиночества было удушающим. Отец был прав, когда предложил ему поискать работу. Но при приеме на работу надо заполнять анкету, где есть пункт про аресты. Как на него ответить? «Да, меня обвиняют в убийстве, и я ношу на лодыжке браслет. Но не беспокойтесь. Я этого не делал».

Погруженный в сон основную часть дня, Алан пристрастился бродить по ночам. Он ехал на машине до начала пешеходной тропы, прихватив с собой лишь фонарик, и находил покой в одиночестве и лесной тишине.

44

Семеро учениц, игравших в прошлогодней команде по лакроссу, все еще оставались в школе. С помощью Пэт Тарлетон Эйлин смогла назначить с ними встречи по такому графику, что никто не заподозрил бы действительной причины, по которой они обратились к психологу.

Каждый раз она начинала со слов: «Я знаю, что ты играла в одной команде с моей сестрой. Не хочешь поговорить о своих чувствах по отношению к Керри? О том, что ты испытывала тогда и сейчас?»

И как Даулинг и предполагала, все ответы укладывались в одну схему.

— Мне так не хватает Керри.

— Не могу поверить, что кто-то мог так с ней поступить.

— На вечеринке было так весело, пока Керри и Алан не начали ругаться.

— Вечеринка была испорчена? — уточняла психолог.

— Да нет. Керри, как обычно, перевела все в шутку. И я знаю, что они потом переписывались, когда он ушел, — отвечали девушки.

— А кто-нибудь считал, что Керри должна с ним расстаться?

— Только Энни. Но знаете почему? Она сама втюрилась в Алана.

Когда мисс Даулинг заводила разговор о том, кто принес на вечеринку спиртное, ученицы отвечали примерно одно и то же. «Кто-то из ребят принес пиво. И у Керри что-то было».

И только одна девушка, Алексис, отвечая на вопрос о пиве, на какое-то мгновение задумалась, а потом сказала: «Понятия не имею».

Эйлин была уверена, что эта ученица что-то скрывает, но давить на нее не стала. Она спрашивала у девушек, были ли они у Керри днем, до начала вечеринки. Четверо из них плавали с ней в бассейне с полудня до трех часов.

— Кто-нибудь еще там был? — поинтересовалась Даулинг.

— Джейми Чэпмен вернулся с работы и крикнул, можно ли ему тоже поплавать, — вспомнила Алексис.

— Что ответила Керри?

— Керри любила Джейми. Она сказала, что он может прийти. Потом он услышал, как мы обсуждаем вечеринку, и тоже захотел поучаствовать. Но Керри сказала ему, что эта вечеринка только для тех, кто еще ходит в школу.

— Как он отреагировал?

— Он был очень расстроен. А когда он ушел, Керри объяснила: «Мне жаль, что пришлось ему отказать, но у нас будет выпивка. Он может проболтаться».

Эйлин решила быть откровенной.

— Полиция считает, что у Керри был конфликт с тем парнем, который помог ей достать спиртное для гостей, — сказала она. — Это был тот самый парень, что накануне помог ей поменять спущенное колесо. Полиция его ищет, чтобы допросить. Керри что-нибудь рассказывала о нем?

Про шину знала только Шинейд Гилмартин.

— Керри говорила мне, что у нее спустила шина на семнадцатом шоссе. Она не хотела, чтобы ее отец узнал об этом, потому что перед этим он велел ей заменить лысую резину.

— Ты в курсе, когда это было? — уточнила Эйлин.

— Думаю, примерно за неделю до вечеринки.

— Шинейд, может, ты вспомнишь что-нибудь, что поможет полиции найти этого парня? Как он выглядел? На какой машине ездил?

— Кажется, я припоминаю. Керри сказала, что тот парень подъехал на эвакуаторе. Поэтому он и справился так быстро. Она пыталась заплатить ему десятку, но он отказался. Вроде бы он ей понравился.

Эту информацию стоило немедленно передать Майку. Как только Шинейд вышла из ее кабинета, Эйлин начала писать ему письмо, но остановилась. «Не посылай это с рабочего компьютера», — сказала она себе, после чего достала телефон и послала детективу СМС.

Прочитав сообщение от Эйлин, Уилсон тут же уцепился за слово «эвакуатор». Несмотря на то, что эта информация носила общий характер, она давала ему больше шансов, чем просто описание парня «лет двадцати пяти», который остановился, чтобы помочь Керри.

Со времен службы в полиции Волдвика Майкл знал, что шоссе и дороги в округе Берген регулируются подразделениями службы безопасности дорожного движения. Есть также городские подразделения СБДД, которые следят за работой регулируемых перекрестков и светофоров. В их распоряжении имеются списки эвакуаторов, которые получили лицензию на предоставление услуг в городе. Волдвик, насколько следователь помнил, выдал такие лицензии десятку компаний. Он предположил, что в Сэддл-Ривер и соседних городках — Вашингтон-Тауншип, Верхнем Сэддл-Ривер, Вудклифф-Лейк и Хо-Хо-Кус — аналогичная ситуация.

Конечно, не было никакой гарантии, что интересующий его эвакуатор числился в списке ближайшего городка. Семнадцатое шоссе было основной магистралью северного Нью-Джерси. Если проехать пять миль в одну и в другую сторону по шоссе от Сэддл-Ривер, проедешь еще через десяток городов. Но нужно было с чего-то начать.

Уилсон велел Сэму Хайнсу, молодому следователю из своего отдела, отследить по городскому списку компании, имеющие лицензию на эвакуацию, а также связаться с ними и выяснить имена всех водителей моложе тридцати лет.

— Майк, это займет кучу времени, — заметил Сэм.

— Знаю. Поэтому и предлагаю тебе начать незамедлительно.

45

Последней в списке, предложенном Пэт Тарлетон, была Валери Лонг. Но она была в предвыпускном классе, поэтому вести с ней беседы по профориентации было еще рановато.

Повод нашелся благодаря учительнице по экономике, которая пришла к Эйлин и пожаловалась, что Валери не проявляет абсолютно никакого интереса к учебе и вообще, похоже, пребывает в состоянии транса.

— Может быть, вам удастся, поговорив с ней, выяснить, в чем проблема? — сказала учительница.

Даулинг назначила встречу с Лонг на следующий же день. Печаль на лице Валери была видна невооруженным глазом. Эйлин спрашивала себя: неужели смерть Керри послужила причиной ее проблем?

Она решила сразу перейти к делу. Как только ученица села на стул напротив нее, психолог сказала:

— Валери, я знаю, что многие девочки очень расстроены из-за смерти Керри, и я также слышала, что вы с ней были очень близки.

— Я любила Керри. В школе она была моей лучшей подругой, — ответила Лонг.

— Тогда я могу понять, почему ты так тяжело переживаешь ее гибель.

— Нет, не можете.

Эйлин подождала, надеясь, что Валери продолжит. Но когда девочка промолчала, Даулинг не стала на нее давить.

— Валери, я посмотрела твои оценки, — заметила она. — В предыдущей школе у тебя были очень хорошие отметки. Они были достаточно высокими и в январе, когда ты переехала сюда. Но потом твоя успеваемость стала снижаться. А в этом году учителя встревожены тем, что ты очень рассеянна на уроках.

«Да, я рассеянна, — подумала Лонг, — но я не могу назвать причину».

— Я скучаю по своим подругам из Чикаго, — сказала она вслух. — Они все остались там. Я хотела жить с бабушкой в Чикаго и ходить в свою старую школу, но мне не разрешили.

— А где твой биологический отец?

— Он был замечательный, — неожиданно улыбнулась Валери. — Я была его любимицей. У него обнаружили опухоль мозга, и он умер через два месяца после этого.

— Сколько тебе было лет, когда это случилось?

— Он умер на мой восьмой день рождения.

— Прости. Не сомневаюсь, для тебя это было трудное время.

— Да что там... Мама знает, почему я с тех пор не справляю день рождения. Два года назад она снова вышла замуж. Уэйн, — произнесла Лонг саркастически, — на двадцать лет ее старше.

Эйлин подумала, что у этой девочки есть целая куча причин не радоваться жизни. Она скучает по друзьям, оставшимся в Чикаго. Она потеряла Керри, которая была ее единственной подругой. Она все еще горюет по своему родному отцу и недолюбливает отчима.

Даулинг решила, что надо назначить встречу с родителями этой ученицы и обсудить с ними ее явное неприятие переезда. Это вполне могло послужить причиной потери интереса к учебе.

— Валери, — обратилась она к девочке, — ты ведь знаешь, что Керри была моей сестрой. Я лучше всех понимаю, как тебе грустно потерять ее. На новом месте всегда трудно заводить друзей, особенно когда все вокруг знакомы между собой столько лет. Я могу лишь представить, как тяжело тебе лишиться единственной подруги.

— Вы не имеете ни малейшего представления об этом, — произнесла Лонг.

— Я уверена, что Керри хотела бы, чтоб ты подружилась с кем-нибудь и продолжала учиться.

— Я постараюсь, — безучастно ответила Валери.

Посмотрев на Эйлин и увидев печаль в ее взгляде, она подумала, что, может быть, когда-нибудь объяснит ей, что происходит на самом деле.

46

Несмотря на то что Джун Кроули ходила на мессу каждое воскресенье, ее нельзя было назвать истовой католичкой. Для нее важнее было красиво одеться, чем участвовать в священных таинствах. За долгие годы ей ни разу не пришло в голову побеседовать с отцом Фрэнком, но сейчас она с ума сходила от беспокойства за Алана и поэтому решила поговорить со священником.

Она позвонила ему и попросила о безотлагательной встрече. Отец Фрэнк пригласил ее прийти на следующее утро.

Всю дорогу до церкви Джун пыталась определиться, как лучше объяснить ему свои тревоги. Но, переступив порог его кабинета, она просто выпалила то, что было у нее на уме:

— Святой отец, я так беспокоюсь, что Алан может покончить с собой!

Отец Фрэнк был в курсе, что ее сына арестовали. Священник собирался позвонить Джун и Дагу, чтобы выразить им свое сочувствие и поддержку. Теперь же он был глубоко встревожен тем, что миссис Кроули могла оказаться права.

— Почему вы так думаете, Джун? — спросил он.

— Я вижу по его поведению. Он спит весь день, а после ужина уходит. Я не знаю, где он бывает и с кем разговаривает. Я вообще не уверена, что он с кем-то общается. Он клянется, что это не он напал на Керри, но знает, что все думают на него. Он уверен, что суд это докажет и его посадят в тюрьму на долгие годы.

— Джун, вы ведь по профессии медсестра, вы наверняка знакомы с психиатрами, которые могли бы с ним поговорить.

— Я ему предлагала. Но он наотрез отказался обращаться к специалисту.

— Вы полагаете, что мне стоит поговорить с ним?

— Это стало бы для меня большим облегчением.

— Лучше всего сделать это наедине. Вы с Дагом завтра после полудня будете на работе?

— Да.

— Хорошо, я подъеду ближе к вечеру и попробую завести с ним беседу.

— Наша домработница Бренда будет дома. Я ее предупрежу, чтобы она вас впустила.

На следующий день отец Фрэнк приехал к дому Кроули и позвонил в дверь. Почти сразу же ему открыла женщина средних лет. Он предположил, что это и есть домработница.

— Вы, должно быть, Бренда, — сказал священник. — А я отец Фрэнк.

— Миссис Кроули говорила мне, что вы заедете, — ответила Нимейер.

— Алан дома?

— Да, он в кабинете смотрит телевизор. Хотите, чтобы я ему сообщила о вашем приходе?

— Нет, просто проводите меня в кабинет. Дальше я сам.

— Хотите что-нибудь попить?

— Нет, благодарю вас, ничего не нужно.

Как только отец Фрэнк остановился в дверях кабинета, Бренда шумно удалилась в направлении кухни.

Алан смотрел кино. Он не оторвался от экрана, когда священник открыл дверь и вошел в комнату.

Отец Фрэнк с трудом узнал в изменившемся Кроули-младшем того холеного молодого человека, который приходил в церковь. На нем была старая майка, в которой он, похоже, спал, и спортивные шорты. Рядом, на полу валялись изношенные кроссовки. Было совершенно очевидно, что он уже несколько дней не брился и, судя по всему, не удосужился даже причесаться.

Алан посмотрел на священника. На его лице отразилось удивление:

— Я не знал, что вы придете, отец Фрэнк.

— Твоя мать очень переживает за тебя. Она боится, что у тебя депрессия, — ответил гость.

— Если бы вам грозил тюремный срок, у вас тоже была бы депрессия.

— Не буду спорить, Алан.

— Боюсь, я вас разочарую, святой отец. Если вы надеялись услышать от меня признание, вынужден вам сказать, что я этого не делал.

— Алан, я пришел поговорить с тобой и выслушать тебя.

— Тогда я сразу скажу. Я любил Керри. Я и сейчас ее люблю. В ту ночь я поехал, чтобы помочь ей прибраться. Она сказала, что устала. Она собиралась закончить уборку утром. Я поцеловал ее на прощание и уехал домой. Да, я солгал полиции и попросил друзей солгать ради меня. Но вы понимаете, почему я так поступил?

Я испугался. А вы не испугались бы, если бы все вдруг начали считать вас убийцей? Вы представляете, что испытывает человек, когда на него надевают наручники и тюремный костюм?

— То есть ты хочешь сказать мне, что не виноват в смерти Керри.

— Я не просто хочу это сказать, я клянусь вам в этом. Если у вас с собой есть Библия, я поклянусь на ней. Но очевидно, что никто мне не верит.

— Алан, я знаю по опыту, что истина всегда торжествует. Если тебя будут судить, это может произойти не скоро, через много месяцев. Что ты намерен делать все это время?

— Честно говоря, святой отец, я много думал о том, как хорошо снова быть вместе с Керри.

— Алан, ты ведь не думаешь о том, чтобы причинить себе вред? Подумай об отце и матери.

— Для них лучше, чтобы меня вообще не было, чем смотреть, как мне вынесут приговор в суде.

— Позволь напомнить тебе, — озабоченно произнес отец Фрэнк, — суд может начаться через год. К тому времени все может измениться.

— Это было бы очень кстати, — равнодушно проговорил Кроули.

Всю обратную дорогу священник с большой обеспокоенностью размышлял о том, что рассказала ему Мардж Чэпмен про купание Джейми в бассейне и про ее страхи, что если полиции станет об этом известно, они могут заставить Джейми сказать, что это он ударил Керри.

«Как мне следует поступить? Что я могу сделать?» — спрашивал себя отец Фрэнк.

Он не знал, что притаившаяся в коридоре Бренда ловила каждое слово их разговора и теперь не могла дождаться, когда сможет передать все это Мардж.

47

Бренда так торопилась к подруге, что ехала на предельно допустимой скорости. Заранее позвонив Мардж, она убедилась, что та дома и может ее принять. Очевидно, Чэпмен видела, как она подъехала, потому что входная дверь была открыта.

Не переводя дыхания, Нимейер выпалила все про визит отца Фрэнка к младшему Кроули.

— Его позвали, потому что Джун и Даг боятся, что Алан наложит на себя руки.

— Боже милостивый! — воскликнула Мардж.

— Бедный мальчик! Я не удивлена, что они тревожатся за него. Он уверен, что его посадят в тюрьму за убийство Керри Даулинг. Он поклялся на Библии, что не делал этого.

— А что сказал ему отец Фрэнк? — обеспокоенно спросила Мардж.

— Он призывал его не терять веры. Сказал, что суд будет через год, а за это время многое

может произойти. Я только и молюсь о том, чтобы он убедил Алана не навредить себе.

— Я тоже за это молюсь, — с дрожью в голосе
вторила подруге миссис Чэпмен.

Сообщив последние новости, Бренда посмотрела на часы.

— Мне пора, — объявила она. — Хочу зайти в
магазин за продуктами.

Мардж всю трясло при мысли о том, что Алан
может покончить с собой. Она отвлеклась, только когда включила пятичасовые новости. Не
успела она усесться в свое кресло, как в комнату
вошел Джейми.

Начался репортаж, и на экране появился Алан.

— Смотри, мам, это же Алан Кроули! — ра-
достно закричал сын Мардж.

— Да, я вижу, Джейми, — отозвалась та.

Журналист вел свой репортаж, а на его фоне
показывали кадры с Аланом из зала суда.

— Появились слухи, что Лестер Паркер, адвокат обвиненного в убийстве Алана Кроули, обратился к прокурору с предложением заключить
сделку. Мы связались с Лестером Паркером, но
он категорически опроверг эту информацию.

— Почему Алана показывают по телевизору? — спросил Джейми у матери.

— Полиция думает, что это он напал на Керри в ту ночь, когда она погибла.

— Нет. Алан Кроули обнял и поцеловал Керри, а потом уехал домой. Это Здоровяк ударил
Керри.

Мардж в ужасе уставилась на сына.

— Джейми, ты уверен, что это не Алан ударил Керри и столкнул ее в бассейн?

— Нет, это сделал Здоровяк. А Алан ушел домой. Я хочу есть. Что у нас на ужин?

48

Эйлин беспокоилась за Валери Лонг. С этой девочкой что-то происходило, и это было связано не только с потерей подруги. На ум Даулинг все время напрашивалось слово «отчаявшаяся». После встречи с Валери она поделилась своими соображениями с Пэт Тарлетон.

— Полагаю, вам стоит пообщаться с ее родителями и выслушать, что они думают по этому поводу, — посоветовала ей Пэт.

— Я с вами согласна, но у меня такое ощущение, что Валери не обрадуется, если узнает, что я планирую встретиться с ее матерью и отчимом. Может быть, мне стоит назначить встречу за пределами школы? — предложила психолог.

— Не думаю. Правила нашей школы не разрешают проводить такие беседы вне стен нашего здания. Родители должны сами решить, сообщать ли об этом Валери. Если она узнает, что они здесь были, им самим придется объяснять дочери, почему они приходили.

Заручившись одобрением Пэт, Эйлин разыскала контактную информацию родителей Валери Лонг. Она решила для начала связаться с ее матерью и позвонила той на сотовый. Ей ответили после первого же звонка.

На экране Марины Лонг появилось сообщение, что звонят из школы.

— Что случилось с Валери? — было ее первой реакцией на звонок. После такого вопроса Эйлин было легче перейти прямо к сути.

— Миссис Лонг, все в порядке. Валери сейчас на уроке. Меня зовут Эйлин Даулинг. Я школьный психолог. У меня возникли некоторые опасения по поводу Валери, и я хотела бы обсудить их с вами и вашим мужем.

— Я рада, что вы позвонили, Эйлин. Мы тоже за нее беспокоимся и не знаем, как с этим быть. Мы с Уэйном всеми руками за нашу встречу с вами.

Они договорились, что Лонги придут к мисс Даулинг на следующий день.

Позже в дверь ее кабинета постучали. Она крикнула: «Входите!» — и была удивлена, увидев Скотта Кимбелла, который вошел и сел напротив нее на стул. Ее первой мыслью было, что она не предлагала ему сесть.

— Эйлин, — начал тренер. — Я знаю, что ты сердишься на меня, и ты имеешь на это полное право. Вчера в учительской я совершил оплошность. Ты ясно дала понять, что неправильно будет обсуждать наше общение вне школы. Как говорится, болтун — находка для шпиона. Я пришел извиниться.

Даулинг растерялась. Она отрепетировала свою разгромную речь о том, что ему не надо было трепаться перед коллегами про их совместный ужин. Но он сам пришел извиняться и выглядел таким виноватым...

— Ну хорошо, — кивнула девушка. — Мы все совершаем ошибки. Забудем об этом.

— Спасибо, Эйлин. Я это очень ценю.

Кимбелл немного помолчал, а потом произнес:

— Эйлин, не могла бы ты кое в чем поучаствовать со мной? Это строго по работе. Завтра в Университете Монтклэр состоится семинар на тему стрессов, которые переживают спортсмены-старшеклассники. Как учителя и тренера, меня, разумеется, очень интересует этот вопрос. И я полагаю, что презентация на подобную тему тебе, школьному психологу, тоже будет полезна. Ты хотела бы поехать со мной?

Даулинг открыла было рот, но он продолжал говорить:

— Имей в виду, мы будет выступать как два профессионала. Я не предлагаю поехать туда на одной машине. Ты даже можешь сесть отдельно от меня. Но я должен предупредить. В восемь тридцать, когда все закончится, я буду голоден как волк. И очень может быть, что я приглашу тебя на ужин. Как коллегу, разумеется.

Эйлин поймала себя на том, что улыбается. Перед чарами Скотта невозможно было устоять. Три минуты назад он был у нее в совершеннейшей немилости, а сейчас она не могла дождаться завтрашнего вечера, чтобы провести его вместе с ним.

— Что ж, хорошо, мистер Кимбелл, — снизошла она. — Встретимся на семинаре. И, учитывая предстоящий после него ужин, посмотрим, что день грядущий нам готовит.

49

После бессонной ночи Мардж поняла, что должна еще раз поговорить с отцом Фрэнком. Как только Джейми ушел в «Акме», она позвонила священнику.

— Приезжайте ко мне прямо сейчас, — сказал он. — Я много думал о нашей с вами последней встрече.

Чэпмен не ожидала, что ее пригласят так сразу. Она собиралась хорошенько обдумать, что она скажет отцу Фрэнку про их с Джейми вчерашний разговор. Теперь же ей предстояло все решить за десять минут, которые уйдут на дорогу до дома священника.

Он сам открыл дверь и проводил ее до кабинета. Они уселись в кресла друг напротив друга.

— Святой отец, вчера вечером мы с Джейми были на кухне, когда по телевизору показали Алана, — начала рассказывать гостья. — После того как я объяснила сыну, почему про Алана говорят в новостях, он опять начал рассказывать мне о том, что он видел в ту ночь у Керри.

Она остановилась в нерешительности.

— Мардж, я вижу, вы расстроены. Но я думаю, вам станет легче, если вы разделите свои тревоги со мной, — поддержал ее священник.

— Вы ведь понимаете, что воспоминания Джейми могут путаться. Он смешивает события, которые происходили в разное время.

— Мне это известно, Мардж, — с сочувствием заверил ее отец Фрэнк.

— Но вчера Джейми очень уверенно описывал то, что произошло с Керри у него на глазах.

— Что он рассказал?

— Когда я объяснила ему, что полиция обвиняет Алана в том, что он ударил Керри, Джейми ответил, что Алан не делал этого.

— Что именно сказал Джейми? — подавшись вперед, попросил уточнить священник.

— Он видел, как Алан обнял и поцеловал Керри, а затем ушел. А потом кто-то другой, «Здоровяк», ударил Керри и столкнул ее в бассейн.

— Мардж, как вы думаете, Джейми точно описал то, что увидел?

— Да, но я не знаю, что мне делать.

По щекам Чэпмен потекли слезы. Взяв сумочку, она принялась в ней рыться.

— Святой отец, можно мне стакан воды?

— Простите, Мардж, — отец Фрэнк поднялся и пошел на кухню. — Я должен был сразу предложить вам воды. — Вернувшись с кухни, он обратил внимание, что женщина побледнела. — Вы хорошо себя чувствуете?

Гостья приняла у него стакан и отхлебнула глоток, запивая таблетку.

— Если честно, святой отец, у меня проблемы с сердцем. Если я сильно переживаю, как сейчас, мне приходится принимать лекарство. Нитроглицерин.

Хозяин дома подождал, пока она сделает еще несколько глотков воды.

— Эти таблетки творят чудеса, — произнесла Мардж. — Мне уже лучше. — И она продолжила говорить: — Так вот, насчет Джейми. Если то, что он мне рассказал, правда, то Алан Кроули невиновен. Но позволь я ему обратиться в полицию, я рискую тем, что они обвинят в нападении самого Джейми. Он скажет, что Керри ударил Здоровяк, а они подумают, что он имеет в виду себя. Святой отец, я хочу помочь Алану Кроули, но я не могу подставить сына.

— Мардж, я ни на минуту не поверю, что Джейми мог напасть на Керри. И знаю, что вы тоже не верите в это. Но не будет ли лучше признаться во всем полиции и надеяться на то, что система сработает как должно?

— Не знаю, святой отец. Мне нужно об этом подумать.

50

Мисс Даулинг уже собралась домой, когда у нее зазвонил сотовый. Это был Майк Уилсон.

— Эйлин, — спросил он, — мы можем встретиться сегодня вечером? Мне надо кое-что с вами обсудить.

— Конечно.

— В «О'Мэлли» в семь?

— Отлично. Увидимся там.

Когда девушка приехала в «О'Мэлли», Майкл уже сидел за тем же угловым столиком, что и в прошлый раз.

— Похоже, вы раб своих привычек, — заметила Эйлин.

— Каюсь, — ответил детектив.

— Ого, да вы при параде? — отметила Даулинг, глядя на его пиджак и галстук.

— Я всегда надеваю воскресный костюм, когда даю показания в суде. Сегодня меня весь день поджаривала сторона защиты.

— И кто победил? — поинтересовалась Эйлин.

— Если они не признают этого подзащитного виновным, значит, справедливости в этом мире больше нет.

К ним подошла официантка.

— Мы с вами оба рабы привычек? — уточнил Майк.

Даулинг кивнула.

— Девушке пино-гриджо, а я буду «Курс»[1], легкое, — заказал следователь и снова повернулся к своей собеседнице. — Итак, Эйлин, как дела в мире психологии?

— По-разному. Иногда хорошо, иногда не очень. Я беспокоюсь за одну ученицу, у нее по-

---

[1] Марка пива.

давленное состояние, и ко мне завтра придут ее родители. Ой, у меня же есть новости насчет Алана Кроули!

— Правда?

— В Принстоне узнали про обвинения против него. Насколько я понимаю, в таких случаях они просят, чтобы студент оставался дома. — Девушка решила не посвящать Майка в то, что это Пэт Тарлетон и ее мать связались с Принстоном.

— Я не удивлен, — прокомментировал Уилсон. — В университетах всегда есть мониторинговые службы. Они наверняка отследили сообщения прессы, где говорилось, что «принятый в Принстон Алан Кроули был обвинен в убийстве».

Майк отпил большой глоток из своей кружки и спросил:

— Как ваши родители?

— Мама абсолютно уверена, что Алан виноват. Я думаю, она немного успокоилась, когда его арестовали.

— Семьи жертв часто реагируют подобным образом. Они считают это первым шагом к расплате. Вашей матери, возможно, стоит вступить в группу психологической поддержки. Я встречал людей, которым там реально помогли. Пришлю вам контакты этих групп.

— Спасибо, очень любезно с вашей стороны.

— Эйлин, давайте поговорим о том, ради чего я вас позвал. Как я уже говорил, мы до сих пор не нашли человека, который поменял Керри колесо, и в этом слабость нашего обвинения против Алана. Информация об эвакуаторе, присланная вами, очень помогла. Но в сообщении вы упомянули, что одна из девушек явно что-то скрывает. Нам важно обнаружить того человека и установить, где он находился в тот вечер. Вы не могли бы найти повод встретиться с той девушкой и попробовать разговорить ее?

— Если станет известно, чем я занимаюсь, мне грозит самая короткая карьера школьного психолога в истории, — вздохнула Даулинг.

— Эйлин, я ведь даже не знаю имени этой девушки. Мне нужна только информация. И я вам обещаю, никто не узнает, откуда она у меня.

Психолог припомнила нерешительную реакцию Алексис Джаккарино, когда та обдумывала, как ответить на вопрос о парне, менявшем Керри колесо.

— Я придумаю, как зазвать к себе ту девушку, и разговорю ее, — пообещала она.

Майк с большим трудом сдержался, чтобы не пригласить Эйлин остаться на ужин. Но если адвокату станет известно о том, что следователь и свидетель по делу встречаются, во время перекрестного допроса он просто порвет их на куски.

Десять минут спустя, когда детектив закончил пить свое пиво, а Даулинг — вино, он попросил чек.

— Мне пора возвращаться на службу, — сказал он. — Завтра утром я опять выступаю в суде. Надо просмотреть материалы дела.

— А я еще успею поужинать с родителями. Стараюсь бывать дома как можно больше, тем более что на завтра у меня планы.

Они вернулись к своим машинам. Майк расстроился, что не мог попросить Эйлин поужинать вместе.

А она расстроилась, что он не попросил.

51

Звонок от Эйлин только усилил чувство беспокойства, которое испытывали Марина с Уэйном из-за Валери. Миссис Лонг испытала облегчение, когда ее муж сразу согласился остаться поработать дома, чтобы они могли вдвоем пойти в школу на встречу с психологом. Стараясь не попасться на глаза девочке, они приехали в школу точно к одиннадцати часам.

Матери Валери, на которую она была поразительно похожа, было под сорок. Отчим был весь седой и выглядел сильно за пятьдесят. При первом впечатлении он напоминал Ричарда Гира.

После того как они познакомились, Марина спросила:

— Почему вы беспокоитесь за Валери?

На прямой вопрос следовало отвечать так же прямо.

— Я видела, что в предыдущей школе в Чикаго она училась очень хорошо. Но с тех пор как она стала учиться здесь, ее успеваемость значительно снизилась. И она выглядит подавленной, — объяснила Эйлин.

— Мы знаем, — кивнула миссис Лонг. — И мы очень за нее переживаем, — она была готова разрыдаться.

Даулинг заметила, как Уэйн положил ладонь на руку жены.

— Я знаю, что во всем виноват я, — сказал он. — Она невзлюбила меня с первой же встречи. Решила, что я пытаюсь занять место ее отца. Но я не пытался. Она отвергала каждую мою попытку выстроить с ней отношения. У меня есть двое сыновей, они живут в Калифорнии. Я вдовец. Мы с моей первой женой всегда мечтали иметь еще и дочь.

— Валери всячески внушает людям, что он плюет на своих сыновей, — добавила Марина. — Но на самом деле Уэйн часто бывает в Сан-Франциско и всегда навещает их. Им трудно было приезжать в Чикаго, так как у обоих есть семьи. В прошлом году, когда мы ездили к ним на День благодарения, Валери отказалась к нам присоединиться и осталась дома с бабушкой.

— Она объяснила вам, почему мы переехали из Чикаго? — спросил мистер Лонг.

— Да. Она сказала, что вам предложили более выгодную работу и вы приняли предложение. В результате ей пришлось расстаться со своими подругами, — ответила Даулинг.

— Но все было не так, — ответил Уэйн, и в его голосе послышались нотки отчаяния. — Отделение «Мэррилл Линч», которое я возглавлял, слили с другим. Мне предложили другое, более выгодное место на Манхэттене, я должен был дать ответ незамедлительно. — Он поглядел на жену и продолжил: — Мы посовещались и решили, что я должен согласиться.

— Меня удивляет, — заметила Эйлин, — что, когда Валери приехала в Сэддл-Ривер, она, судя по оценкам, начала учебу на хорошем уровне. Но весной что-то произошло. Есть ли у вас какое-нибудь предположение, что это могло быть?

— В мае у ее бабушки по линии отца случился инсульт, и она умерла. Валери очень сблизилась с ней после смерти моего первого мужа, — рассказала миссис Лонг.

— В таком юном возрасте это воспринимается как большая потеря, — сказала Эйлин. — Вы не думали обратиться к психиатру?

— Думали, конечно, — ответила Марина. — Мы дважды поднимали этот вопрос. Оба раза она ужасно злилась и расстраивалась. Мы решили, что, если будем настаивать, от этого будет больше вреда, чем пользы.

— Возможно, вы слышали, — начала Даулинг, — что две недели назад погибла моя сестра Керри...

— Мы знаем, и мы очень вам сочувствуем, — перебил ее Уэйн. — Мы читали об этом в газетах.

— Валери говорила мне, что Керри была ее лучшей подругой здесь, в школе. Она с вами обсуждала это?

— Нет, — ответила Марина. — Я видела, насколько сильно ее шокировала смерть Керри. Но я считала, что они были больше товарищами по команде, чем подругами.

— Очевидно, что они были близки. А это означает еще одну потерю в жизни вашей дочери.

— Что нам теперь делать? — спросил Лонг.

— Я буду держать связь с Валери и ее учителями. Я также прослежу за ее успеваемостью и буду сообщать вам о том, что происходит, — пообещала психолог. — Со своей стороны, если вы заметите какие-либо изменения, дайте мне знать.

Когда Лонги покинули ее кабинет, тревога Эйлин за Валери только усилилась.

52

Отец Фрэнк понимал, что должен убедить Мардж рассказать полиции все, что она услышала от Джейми. Он осознавал, какой ужас она испытывает при мысли о том, что полиция может посчитать ее сына убийцей, но оставлять Алана на грани самоубийства, при наличии свидетеля, который мог бы снять с него бремя вины, было несправедливо.

Священник в десятый раз прокручивал в уме свои беседы с Чэпмен. Она *призналась ему*, но

это было не на исповеди. Если бы она попросила исповедать ее, он должен был бы сохранять
молчание. Но, учитывая, что она просто доверилась ему, принцип тайны исповеди тут неприме-
ним. А в этом случае он обязан поделиться
информацией с полицией.

После разговора с отцом Фрэнком Мардж не
освободилась от мук совести. За последние два
дня она дважды расспрашивала Джейми о том,
что произошло во дворе у Керри, перед тем как
он отправился к бассейну. Оба раза юноша повторял одну и ту же историю: «Алан поцеловал
Керри на прощание. Потом он пошел домой. Затем Здоровяк ударил Керри и толкнул ее в бассейн». А еще он добавлял: «Папа всегда называл
меня Здоровяком. Он на небе вместе с Керри».

Сама мысль о том, что Алан переживал адо-
вы муки за то, чего он не совершал, не давала
миссис Чэпмен покоя. Поэтому когда отец Фрэнк
позвонил ей и сказал, что зайдет, она испытала
облегчение и решила обсудить с ним, как ей лучше обратиться в полицию.

Входной звонок зазвонил в полчетвертого.
Джейми после работы отправился смотреть тренировку на школьный стадион. Мардж была
только рада, что его не будет дома, пока она будет общаться с отцом Фрэнком.

Она открыла дверь, проводила священника
в скромную, но тщательно прибранную гостиную и предложила ему сесть в большое мягкое

кресло, которое напомнило ему мебель его бабушки.

— Это было любимое кресло Джека, — пояснила хозяйка дома. — После смерти его бабушки он перевез его к нам домой.

— Оно очень удобное, Мардж.

— Простите меня, святой отец. Я болтаю про мебель, потому что сильно нервничаю из-за причины нашей с вами встречи.

— Мардж, я и сам собирался вам позвонить. Я думаю, что знаю, о чем вы хотите поговорить.

— Я не имею права молчать, когда Алан Кроули оказался в такой беде.

Отец Фрэнк не прерывал Чэпмен. Она прикусила губу.

— С тех пор как мы с вами встречались, я еще дважды просила Джейми рассказать мне о том, что произошло в ту ночь. Оба раза он говорил, что Алан поцеловал Керри и ушел домой. — Женщина отвернулась, словно набираясь сил. — В глубине души я уверена, что Джейми никогда не стал бы нападать на Керри. Я должна рассказать полиции о том, что знаю.

— Мардж, вы приняли правильное решение. — Гость постарался скрыть чувство облегчения, которое он испытал оттого, что Чэпмен приняла его сама.

— Святой отец, у меня нет денег. Очевидно, что их нет и у Джейми. Я понимаю, что существуют адвокаты, которые помогают таким, как мы, бесплатно...

— Вы имеете в виду общественных защитников?

— Да, если это так называется. Я бы хотела проконсультироваться с одним из них, до того как обращусь в полицию.

— Мардж, насколько мне известно, это работает несколько по-другому. Общественного защитника назначают, после того как человеку предъявят обвинение. Я не думаю, что до этого момента такой защитник может вам помогать.

— Я скопила десять тысяч долларов. Этого хватит для адвоката?

— Мардж, я не знаю, какие ставки у адвокатов. Но я знаю, что один из наших прихожан, Грег Барбер, — очень хороший адвокат. За сумму, значительно меньшую, чем его обычный гонорар, он помогал другим нашим прихожанам. Если пожелаете, я с ним свяжусь от вашего имени.

— Буду вам очень обязана.

— Сегодня вечером поговорю с ним. Уверен, он захочет вам помочь.

В тот же вечер отец Фрэнк позвонил Грегу домой. Жена Грега сообщила ему, что муж заканчивает процесс в Атланте и что она ждет его обратно через четыре дня. Она снабдила священника номером его мобильного телефона, и он тут же позвонил адвокату, который пообещал помочь Мардж и попросил связаться с ним в день его возвращения.

После этого отец Фрэнк тут же сообщил Чэпмен график работы адвоката. Они договорились, что, прежде чем идти в полицию, она дождется возращения защитника. А он будет поддерживать контакт с Аланом и таким образом будет в курсе, если что случится. Они надеялись, что эти несколько дней погоды не изменят.

53

Семинар, как и было обещано, закончился ровно в 20.30. Эйлин не пожалела, что приехала. Докладчики предложили интересные версии того, как для некоторых учеников занятия спортом из способа снять психологическое давление превращаются в дополнительный источник стресса. Часто проблему усугубляют родители и тренеры, которые требуют от них только побед.

Небольшая аудитория была заполнена только наполовину. Направляясь к выходу, Даулинг огляделась. К счастью, никого из знакомых она не увидела.

Они уже вышли наружу, когда Скотт сказал:

— А теперь вопрос на шестьдесят четыре тысячи долларов. — Он изобразил барабанную дробь. — Я знаю тут неподалеку итальянский ресторан. Обещаю не мучить тебя своим ломаным французским.

— Я была рада освежить свой французский, — заметила Эйлин.

Девушка проехала вслед за Кимбеллом с полмили до парковки ресторана, и когда она вылезла из машины, он уже держал в руке коробку с двумя бутылками вина.

— В этот ресторан можно приносить с собой, — пояснил тренер. — Я прикупил шардоне и пино-нуар[1] на случай, если удастся тебя уговорить.

В ресторане Скотт сделал заказ на очень приличном итальянском.

— Ты не говорил, что знаешь итальянский, — удивилась его спутница.

— Бабушка была родом из Италии. Она любила болтать со мной по-итальянски. К счастью, я почти все помню.

— У тебя много скрытых талантов, — улыбнувшись, заметила Эйлин.

— Так частенько говаривала мне мама. А тетя неизменно добавляла: «Если ты такой умный, почему такой бедный?»

Кальмары и телятина были отменными. Вскоре разговор перешел с политики на любимые кинофильмы. А когда они допивали капучино, Даулинг подняла тему, которая весь вечер не давала ей покоя.

— Скотт, я хотела поговорить с тобой об одной ученице, за которую я очень переживаю. Я уверена, ты ее знаешь, она играла в сборной по лакроссу.

---

[1] Белое и красное вино.

— О ком ты говоришь?

— О Валери Лонг, она перевелась в Сэддл-Ривер в январе. Сегодня я встречалась с ее родителями.

— О, звучит серьезно. А что случилось?

— Она замкнулась в себе и чем-то угнетена. Ко мне обратилась учительница с жалобой на ее невнимательность.

— Мне жаль это слышать.

— Я хочу обсудить это с тобой, потому что прошлой весной она тренировалась под твоим руководством. Она посещает твои уроки математики?

— В этом году нет.

— Какое у тебя сложилось мнение о ней?

— По правде говоря, она производит двойственное впечатление. Вне игры ведет себя скромно, держится в стороне от всех. Но на поле переходит в атаку. Эта девочка — самый агрессивный игрок в команде. А как только игра заканчивается, тут же становится тихой и робкой. Она была единственной девятиклассницей в сборной команде. Я знаю, что Керри приложила немало сил, чтобы она почувствовала себя своей среди девочек.

— А Валери дружила с кем-нибудь?

— Да нет. Я пытался дать ей понять, что она может поговорить со мной, но она и меня держала на расстоянии.

— Ты часто встречаешь ее в школе?

— Лакросс начнется только весной, так что я вижу ее, но далеко не каждый день. Здороваемся, когда встречаемся в коридоре. Вот и все, пожалуй.

— Хорошо. Я просто пытаюсь вычислить, как к ней пробиться.

— Я могу попытаться помочь. Заговорю с ней. Может, она и откроется одному из нас.

— Спасибо. Благодарю за ужин.

54

Нэнси Картер выглянула из окна кухни и поразилась, как же быстро пролетели две недели. Они с Карлом договорились, что тот возьмет их сына Тони на рыбалку на Аляску. Это был смелый шаг для всех троих. Трудоголик Карл наконец-то должен был убедиться, что его партнеры по инженерно-технической фирме вполне способны управлять бизнесом и в его отсутствие. А Тони перестанет безвылазно сидеть в соцсетях, оставив свой смартфон дома. Карл же все-таки прихватил телефон, чтобы Нэнси могла связаться с ними в экстренном случае.

А еще, несмотря на то что она очень любила своего мужа, это была передышка для нее самой.

Пока они были в отъезде, миссис Картер все не могла решить, стоит ли сообщать сыну об убийстве Керри Даулинг.

Тони проучился два года в старших классах школы Сэддл-Ривер и собирался продолжить обучение в частной школе в Чоате, в штате Коннектикут. Они с Керри познакомились, когда участвовали в школьном самоуправлении. Нэнси не сомневалась, что сын крайне расстроится, когда узнает, что Керри погибла и что он пропустил похороны. Но именно поэтому она и не стала портить ему отдых.

Она зашла на сайт «Юнайтед Эйрлайнз» и убедилась, что самолет ее мужа и сына вовремя приземлился в аэропорту Ньюарк. Услышав, как за окном хлопают автомобильные двери, она поняла, что они приехали.

После приветственных объятий Карл и Тони занесли багаж в дом и уселись за столом на кухне.

Картер-старший задал вопрос, которого так опасалась его жена:

— Ну, мы что-нибудь тут пропустили?

— Боюсь, что да, — глядя на сына, ответила Нэнси. — Произошло нечто ужасное. — И она поведала своим родным о трагической смерти Керри и о полицейском расследовании.

Тони тут же выдернул из зарядки сотовый и начал просматривать сообщения о Керри. Они повторяли то, что ему только что стало известно. В субботу у Керри была вечеринка. В полдень в воскресенье отец и сестра нашли ее тело в бассейне. Керри и Алан ссорились на глазах у всех.

— Нас не было две недели, — заметил Карл. — Когда же это произошло?

— По радио об этом передали, буквально когда вы ехали в аэропорт, — рассказала миссис Картер. — Потом арестовали Алана. В новостях сообщают, полиция установила, что Алан вернулся после окончания вечеринки и убил Керри.

— То есть, мам, они нашли ее в бассейне в тот момент, когда папа забирал меня на лимузине у супермаркета «Акме»? — уточнил Картер-младший.

— Так и есть, Тони, и я надеюсь, ты понимаешь, почему я не стала...

— Да нет, мам, — отмахнулся юноша, — все в порядке. А в новостях говорили что-нибудь про Джейми Чэпмена?

— Джейми Чэпмена? — сильно удивилась Нэнси. — Нет, а с какой стати?

— Так это было то воскресенье, когда мы уехали на рыбалку?

Наконец парень припомнил то, что мелькнуло у него в голове.

— Я обратил внимание на кроссовки Джейми, — произнес он, а затем вдруг выпалил: — У него были новые кроссовки. Он всем хвастался. Я точно помню, что они были на нем в субботу, потому что он сто раз спросил, нравятся ли мне они. А в воскресенье он был в других, совсем стоптанных. Я спросил, почему он не надел новые кроссовки, а он ответил, что он их промочил, потому что купался в бассейне с Керри *после* вечеринки.

Отец с матерью уставились на Тони.

— *После вечеринки?* — переспросили они в один голос.

— Ты уверен, что Джейми именно так сказал? — уточнил старший Картер.

— Я абсолютно уверен, пап.

Карл направился к телефону.

— Тони, ты должен рассказать об этом в полиции. — И он начал набирать номер полицейского участка Сэддл-Ривер. Там записали его имя и номер и пообещали немедленно поставить в известность детектива Уилсона.

55

Марина Лонг и ее муж Уэйн беспокоились за Валери с того момента, как семья уехала из Чикаго и поселилась в Сэддл-Ривер. Они понимали, что это была резкая и неожиданная перемена для дочери, но все же надеялись, что в новой школе, имевшей очень высокие рейтинги, ей удастся адаптироваться. В прежней школе, несмотря на свою природную застенчивость, Валери не испытывала недостатка в друзьях. Они жили в Нью-Джерси уже девять месяцев, этого было вполне достаточно для того, чтобы завести новых подруг. «Но почему их нет? — спрашивала себя Марина. — Почему Валери все время одна?»

Миссис Лонг отпросилась с работы на вторую половину дня. Она собиралась провести это время с дочерью, однако, вернувшись из школы, та прямиком прошагала в свою комнату и закрыла дверь. Вскоре после того как пришел с работы Уэйн, они сели ужинать. Валери была, как обычно, замкнута. Супруги Лонг пытались завести с ней разговор, расспрашивая, что она думает по поводу нового состава команды по лакроссу, но девочка отделалась одним словом: «Хороший». Дождавшись, когда они начнут пить кофе с ее любимым яблочным пирогом, Марина обратилась к дочери напрямую:

— Валери, нас вызывала мисс Даулинг. Сегодня утром мы с ней встречались.

Девочка прищурила глаза — она словно отказывалась в это верить.

— Она не имела права это делать! — со злостью выпалила она.

— Она имела на это полное право, — ответила ее мать. — Ясно, что учителя обеспокоены твоим поведением на уроках.

— А что не так с моим поведением? — огрызнулась Валери.

— Ты рассеянна, и у тебя сильно упала успеваемость.

— Скоро она поднимется.

— А у этих перемен есть причина? — мягко спросил Уэйн.

Его падчерица не ответила, и тогда он продолжил:

— Послушай, Валери. Я думаю, что с того момента, как мы с твоей мамой сошлись, ты всегда была настроена против меня. Давай попробуем рассеять тучи. Мы с моей первой женой всегда мечтали иметь дочь. Но, увы, этого не произошло, потому что Люси умерла примерно в то же время, что и твой папа. Я знаю, что такое терять близких людей. Когда ты лишилась отца, твое сердце было разбито. Я знаю, что никогда не смогу заменить тебе его, да и не хочу. Но мне важно, чтобы ты знала, что я хотел бы стать для тебя близким человеком. Я считаю тебя дочерью, которой у меня никогда не было.

Девочка отвернулась.

— Валери, мы понимаем, что наш переезд был таким неожиданным, — сказала Марина. — Я объясняла тебе, что Уэйн получил серьезное повышение, и это так и есть. Но на самом деле чикагское отделение, где он работал, закрыли, и если бы он не принял это предложение, то остался бы без работы.

Валери ничего не ответила.

Мать посмотрела на нее и добавила:

— Мы с твоим отцом очень любили друг друга. Я уверена, что папа доволен, что Уэйн рядом с тобой и любит тебя.

Девочка хотела было рассказать им, что происходит на самом деле, но не смогла выдавить из себя ни слова. Единственный человек, которому она доверилась, Керри, погибла. Валери затрясла головой, словно отмахиваясь от того, что ей только что говорили отчим и мать. Отодвинув стул, она вылетела из-за стола.

Марина бросилась за ней наверх.

— Валери, тебя что-то мучает. Ты не хочешь об этом говорить, но и жить с этим ты не можешь. Ты потеряла отца и бабушку. Я думаю, ты должна поговорить об этом со специалистом, с кем-то, кто сможет тебе помочь.

— Сделай одолжение, мам. Оставь меня в покое, — отчеканила Валери и закрыла дверь спальни.

56

Всю дорогу до дома Чэпменов Майк пытался осознать все последствия утренней встречи с Тони Картером и его отцом. «Джейми Чэпмен сказал, что купался в бассейне после вечеринки». Тони совершенно четко помнил то, что сказал ему Джейми. И это существенным образом влияло на ход расследования.

Уилсон попытался внушить Тони и его родителям, как важно ни с кем не делиться этой информацией, но все же его не отпускала тревога. Похоже, эта семейка была из болтливых.

Родственники обнаружили тело Керри в 11.15 в воскресенье. Криминалистическая экспертиза могла лишь примерно определить, сколько часов тело находилось в воде. В 23.10 Керри написала Алану, чтобы он не приходил к ней. Если допустить, что она сама писала это сообщение, а у Майкла не было причин в этом сомневаться, это и было последнее известное подтверждение того, что она еще была жива.

Трое друзей Алана и официантка из «Нелли» показали, что Алан покинул ресторан в 23.15. Четыре мили от ресторана до дома Даулингов Кроули мог проехать за одиннадцать минут. Мог ли Джейми купаться в бассейне с Керри *после* 23.00, когда вечеринка уже закончилась, но *до* того как вернулся Алан? Маловероятно.

Уилсон взял с собой детектива Энди Нерлино, так как решил, что допрашивать Мардж и Джейми нужно по отдельности.

— Я уже разговаривал с ними в тот день, когда было обнаружено тело, — объяснил он своему коллеге. — Когда я уходил, мне подумалось, что ответы у них были какие-то отрепетированные.

— Я тебя понял, — кивнул Нерлино.

Они доехали до дома Чэпменов, и Майкл позвонил в дверь. Им никто не ответил, и они решили обойти дом, надеясь, что хозяева сидят во дворе. Но там никого не было. Тогда Энди дошел до задней двери и постучался.

— Майк, иди сюда, посмотри, — позвал он оттуда.

Когда Уилсон подошел к нему, он указал на смазанное пятнышко на белой двери непосредственно под ручкой.

— Кровь? — предположил Майкл, наклоняясь, чтобы разглядеть его получше.

— Возможно, — ответил Энди.

Уилсон сделал несколько снимков пятна с помощью своего телефона и стал звонить в офис.

— Мне нужен криминалист, срочно, — деловито произнес он.

Криминалист появился двадцать минут спустя. Он снял фрагмент пятна и поместил его в пакет для улик.

Майк и Энди решили, что отсутствие Чэпменов было им на руку.

— Перед тем как говорить с ними, мы должны убедиться, кровь ли это и кому она принадлежит, — заключил Уилсон. — Попросим лабораторию поторопиться, но все равно анализ займет несколько дней. Я еще раз позвоню Картерам и постараюсь убедить их держать рот на замке.

57

Полиция настаивала, чтобы Тони Картер не разглашал свое заявление, и он держался — несколько дней. Но когда до Картеров дошли разговоры, что у дома Мардж Чэпмен были замечены полицейские машины, Тони заговорил. Да и его родители тоже молчать не стали.

Рассказ Тони — «Я помог раскрыть убийство Керри, Алан Кроули невиновен, Джейми Чэпмен последним видел Керри живой» — разлетелся со скоростью лесного пожара.

Алан вместо того, чтобы возликовать, удивил своих родителей:

— Я много раз видел, как общались Керри и Джейми. Он, как и я, не мог ее убить.

— Я просто глазам не верю — ты не радуешься и не празднуешь победу! — выкрикнула Джун. — Думаю, нам надо немедленно звонить в Принстон.

— Мам, не разводи ажиотаж по поводу этой версии с Джейми. Говорю тебе, они ошибаются. И когда они это поймут, догадайся, куда они вернутся в поисках преступника? — сказал младший Кроули, указывая на себя пальцем.

Придя в раздражение от такой реакции сына на воодушевляющую новость, его мать вылетела из комнаты и удалилась к себе наверх. Она позвонила Лестеру Паркеру и торжествующим тоном поставила его в известность про Тони Картера.

— Джун, — ответил Паркер, — я как раз собирался вам звонить. Я узнал про то, что после вечеринки в бассейне с Керри мог быть ее сосед. Но давайте не будем опережать события. Насколько я понимаю, молодой человек, который утверждает, что был с ней в бассейне, страдает серьезной умственной отсталостью. Полиция может заключить, что эта история — его фантазия, или вымысел, или вообще ничто.

Разговор с адвокатом немного опустил миссис Кроули с небес на землю, но она все же сохранила свой оптимизм. Несмотря на осторожную реакцию Лестера Паркера, Алан должен был понимать, что у полиции теперь есть другой подозреваемый. Она рассчитывала, что это поднимет его дух и отвлечет от дурных мыслей.

58

Во время обеденного перерыва к Эйлин подошли несколько учеников, которые сообщили ей про показания Тони Картера. Инстинктивно психолог подумала, что Джейми никак не мог напасть на Керри. Она нянчила его, с тех пор как ему исполнилось восемь. Керри тогда было шесть. Оставаясь приглядывать за Джейми, Эйлин часто брала с собой младшую сестру или, если погода позволяла плавать в бассейне, она приводила соседского мальчика к себе домой.

«Он всегда был таким незлобивым, во всех отношениях, — размышляла она. — Он так любил Керри...»

Из школы Даулинг прямиком вернулась домой. Входная дверь оказалась незапертой.

— Мама! — позвала девушка, входя внутрь.

— Я здесь, — послышался голос матери со двора.

Фрэн полулежала на шезлонге, рядом с тем местом, куда Стив положил безжизненное тело Керри, когда вынес его из бассейна. Эйлин удивилась, потому что мать не имела привычки сюда приходить. Почему она выбрала именно это место?

— Я полагаю, ты уже слышала про Тони Картера, — начала миссис Даулинг. — Интересно, сколько Кроули заплатили Картерам за эту историю? Это просто отвратительно, что они пытаются все свалить на Джейми, который не в состоянии себя защитить.

— Мам, ну зачем Картерам это делать?

— А я скажу тебе зачем. Потому что они — выскочки. Я своими ушами слышала, как Джун Кроули рассказывала, что Карл Картер вечно пристает к Дагу, чтобы тот порекомендовал его для вступления в Риджвудский клуб. Ну чем не обмен услугами: обвинить бедного невинного Джейми в том, что на самом деле совершил их сыночек?

— Мама, ты же знаешь, как я отношусь к Джейми, — возразила Эйлин. — Но мне трудно поверить, что Кроули заставили Тони солгать ради них.

— Ты с самого первого дня заступаешься за Алана. Я тебя не понимаю!

— Мам, а ты с первого дня обвинила и осудила Алана. Я не понимаю тебя!

— Пусть каждый останется при своем, — заключила Фрэн.

— Мам, послушай, я меньше всего хочу, чтобы мы продолжали трепать друг другу нервы. Я только хочу сказать вот что. Ты помнишь, как Майк Уилсон расспрашивал вас с папой про спущенную шину?

— Да, и Керри нам ничего не сказала о ней,

потому что отец предупреждал ее, что колесо надо поменять.

— Полиция до сих пор не нашла того эвакуаторщика, который поменял ей колесо и потом хотел прийти к нам домой, когда все разойдутся. Да, Алана арестовали, но я знаю, что Майк не успокоится, пока они не найдут того парня и не установят, где он находился в ту ночь.

— К чему ты клонишь? — спросила миссис Даулинг.

— Я хочу сказать, что сутки назад мы ничего не знали о том, что Джейми якобы плавал с Керри в ночь убийства. Мы с тобой не сомневаемся, что это не имеет никакого отношения к тому, что случилось с Керри. Полиция до сих пор ищет водителя эвакуатора. Я хочу сказать, что мы еще много чего не знаем. Давай не будем делать преждевременных выводов.

— Ну хорошо. Хватит об этом. Давай выпьем вина.

Когда они сидели в гостиной, попивая вино, Фрэн спросила:

— Ты говорила, что собираешься посетить семинар со Скоттом Кимбеллом и что, возможно, пойдешь с ним на ужин. Ты вернулась домой довольно поздно, так что я предполагаю, что ужин состоялся. Ну и как он?

— Семинар или ужин?

— Семинары все одинаковые, — невольно улыбнулась миссис Даулинг. — Расскажи мне про ужин.

— Все было очень мило. Мы пошли в итальянский ресторан. Еда была вкуснейшая. Я заказала...

— Я хочу услышать про Скотта Кимбелла, — перебила девушку мать.

— И почему я не удивлена? Мне нравится Скотт. Он очень приятный и к тому же очень красивый. Умный, с ним легко общаться.

Однако пока младшая Даулинг говорила это, перед ее мысленным взором предстал сидящий за столом Майк Уилсон. «Его компания нравится мне куда больше», — подумала она, но вслух говорить этого не стала.

— Дорогая, мы все сейчас переживаем очень тяжелые времена, — сказала ее мать. — Но если у тебя появляется возможность провести приятный вечер, я не хочу, чтобы ты себе отказывала в этом. Мы с папой планируем в выходные поехать на Бермуды. Перемена обстановки нам обоим пойдет на пользу.

— Согласна. Это будет замечательно для вас обоих.

59

Майк еще раз проверил результаты анализа пятна, обнаруженного на задней двери дома Чэпменов. Это была кровь. Образец сравнили с имевшимся образцом ДНК Керри и получили совпадение. Это, без сомнения, была кровь Керри.

Вооружившись показаниями Тони Картера о том, что ему рассказал Джейми, и результатами экспертизы пятна крови с двери Чэпменов, Уилсон запросил ордер на обыск. Тот был ему немедленно подписан.

День был пасмурный. Дул непривычно прохладный для сентябрьского утра ветер. Майкл, любитель гольфа, надеялся, что после этого похолодания погода не испортится окончательно.

В сопровождении Энди Нерлино и с ордером в руке он позвонил в дверь Мардж Чэпмен. Хозяйка открыла почти сразу. На ней были фартук и пара старых линялых брюк. Увидев полицейских, она испугалась.

— Миссис Чэпмен, меня вы помните. Я Майк Уилсон, детектив из прокуратуры округа Берген, — заговорил Майкл. — Это мой коллега, детектив Энди Нерлино.

— Конечно, я вас запомнила, — пробормотала в ответ женщина. — Мне неловко. Я занимаюсь уборкой и одета соответственно. Я вас не ждала.

— Все в порядке, миссис Чэпмен, — заверил ее Уилсон. — Вы выглядите совершенно нормально. Я должен поставить вас в известность, что мы получили у судьи ордер на обыск вашего дома. Вот ваш экземпляр.

С изумлением просматривая документ, Мардж произнесла:

— Я ничего не понимаю. С какой стати вы собираетесь обыскивать мой дом?

— В связи с нашим расследованием убийства Керри Даулинг, — ответил Майк. — И раз уж мы здесь, мы хотим поговорить с вами и с вашим сыном Джейми. Он сейчас дома?

— Он наверху в своей комнате, смотрит телевизор, — ответила Чэпмен. Во рту у нее пересохло.

— Детектив Нерлино останется с вами тут, а я поднимусь, чтобы поговорить с Джейми.

— Нет-нет! — запротестовала Мардж. — Джейми может расстроиться. Я должна быть рядом, когда вы будете с ним говорить.

— Вашему сыну Джейми уже исполнилось двадцать лет. Это верно?

— Да, верно.

— В таком случае по закону он является совершеннолетним. Я буду разговаривать с ним наедине, — заявил Майкл, направляясь к лестнице.

Миссис Чэпмен протянула было руку, пытаясь ему помешать, но потом нервно вздохнула и направилась к дивану. Пылесос стоял на ковре, и она задела его ногой, когда садилась. На столе лежали тряпка и средство для полировки мебели. Женщина машинально взяла их и положила рядом с пылесосом.

— Вы напомнили мне мою маму, — заметил Энди. — Она тоже устраивает уборку каждую неделю. Когда она заканчивает, нигде не остается ни пятнышка. Похоже, это у вас с ней общее.

Мардж облизнула губы.

— Да, наверное. Я хочу подняться наверх и быть с сыном.

— Детектив Уилсон скоро закончит. Мне очень жаль, но вы должны оставаться здесь.

Майк постучал в комнату сына Мардж. Открывая дверь, он сказал:

— Привет, Джейми. Я Майк Уилсон. Ты меня помнишь?

Молодой человек растянулся на кровати. По телевизору шел фильм «Эйс Вентура: розыск домашних животных».

— Вы работаете в Хэкенсэке, — гордо изрек Чэпмен.

— Верно, Джейми. Я детектив. И мой офис находится в Хэкенсэке. Ничего, если на время разговора мы выключим телевизор?

— Конечно. Это видео. Я могу смотреть его, когда мне захочется, — согласился юноша и, поднявшись, нажал кнопку на телевизоре, после чего вернулся и сел на кровати.

— Я люблю кино, — сказал Майкл. — А ты?

— Я тоже. Мама покупает мне кассеты и диски на день рождения.

— Какая у тебя замечательная мама!

— Она меня любит, а я люблю ее.

— Джейми, ты помнишь, как я приходил к тебе сюда поговорить?

Парень кивнул.

— Ты сказал мне, что Керри улетела на небо, — продолжил детектив.

— Она там вместе с папой.

— А я объяснял тебе, что полиция и родители Керри пытаются выяснить, что случилось с Керри, перед тем как она отправилась на небо.

— Помню.

— Отлично, Джейми. Бьюсь об заклад, ты хорошо все запоминаешь.

Юноша ответил на эти слова улыбкой.

— Я прошу тебя вспомнить тот вечер, когда Керри устраивала вечеринку и когда она улетела на небо. Я спросил тебя, не видел ли ты, как Керри прибиралась после гостей. Помнишь, что ты мне ответил? — Майк сверился со своим блокнотом. — Ты сказал: «Я не плавал с Керри».

— Мне нельзя об этом говорить, — произнес Чэпмен, пряча взгляд.

— Почему нельзя, Джейми?

Не получив ответа на этот вопрос, следователь продолжил:

— Кто не разрешает тебе говорить об этом?

— Мама сказала, что это секрет. А секреты рассказывать нельзя.

Майк с минуту помолчал.

— Джейми, твоя мама разрешила мне подняться к тебе в комнату и поговорить с тобой. Знаешь, что еще она сказала?

— Нет, — он покачал головой.

— Она сказала, что ты можешь поделиться со мной вашим секретом. Она даже немножко мне его открыла. Я теперь знаю, что в тот вечер ты не остался в комнате, ты вышел на улицу. Остальное, сказала она, ты расскажешь сам.

— Ну ладно, — прошептал Джейми. — Керри позволяет мне плавать вместе с ней. В тот вечер она пошла в бассейн. Я тоже хотел поплавать и пошел к ее дому.

— Керри была в воде, когда ты подошел?

— Да.

— Ты с ней разговаривал, когда подошел?

— Да.

— Что ты сказал?

— Я сказал: «Керри, это Джейми. Давай поплаваем».

— Джейми, постарайся вспомнить. Это очень важно. Керри тебе ответила?

— Она сказала: «Я не могу».

— Керри сказала тебе: «Я не могу плавать?»

— Она спала в воде.

— Джейми, ты зашел в воду к Керри?

Теперь парень был готов расплакаться.

— Я намочил кроссовки и брюки.

— Ты дотрагивался до Керри, когда она была в бассейне?

Джейми потряс рукой в воздухе, как бы показывая, что пытается растолкать кого-то.

— Я сказал: «Керри, просыпайся, просыпайся».

— И что она ответила?

— Она все спала, прямо в воде.

— Джейми, ты здорово все вспоминаешь. У меня есть еще несколько вопросов. Значит, Керри спала в бассейне. Что ты сделал потом?

— Я намочил кроссовки и брюки. Я вернулся домой и пошел в свою комнату.

— А где была твоя мама, когда ты вернулся в дом?

— Она спала в своем кресле.

— Где стоит это кресло?

— В гостиной.

— Ты с ней разговаривал?

— Нет. Она спала.

— Хорошо, что ты сделал, когда поднялся в свою комнату?

— Я снял кроссовки, носки и брюки. Я спрятал их на дне в шкафу.

— Почему ты их спрятал?

— Потому что они были все мокрые. А кроссовки у меня новые. Их нельзя мочить.

Майк на минуту остановился. Пока что все совпадало с показаниями Тони Картера.

— Джейми, ты знаешь, как выглядит клюшка для гольфа? — задал детектив новый вопрос.

— У мистера Даулинга есть клюшка.

— В ту ночь, когда ты купался с Керри после вечеринки, ты не видел клюшку для гольфа?

— Я положил ее на кресло.

— Джейми, — уточнил Уилсон, глядя в свой блокнот, — в прошлый раз ты сказал мне, что тебя не пригласили на вечеринку. Она была для школьников, а ты уже взрослый. Ты это помнишь?

— Да, — ответил молодой человек, опустив глаза.

— Когда людей не приглашают на вечеринки, они иногда очень злятся. Ты сердился на Керри за то, что она тебя не пригласила?

— Я ее друг.

— Я это знаю, Джейми. Но порой друзья нас обижают. Когда Керри не позвала тебя, ты рассердился на нее?

— Мне было грустно.

— Что ты делаешь, когда тебе грустно?

— Иду в свою комнату и смотрю видео.

Майкл решил зайти с другой стороны:

— Джейми, ты знаком с Аланом Кроули?

— Мы с мамой видели его по телевизору. Он поцеловал Керри и пошел домой.

— Что случилось потом, Джейми?

— Здоровяк ударил ее и свалил в бассейн.

— Ты знаешь Здоровяка?

— Мой папа звал меня Здоровяком, — широко улыбнулся Чэпмен.

— Джейми, это ты ударил Керри?

— Нет.

— Ты столкнул ее в бассейн?

— Нет. Это сделал Здоровяк.

— Джейми, Здоровяк — это ты?

— Да.

— Ты — Здоровяк, который ударил Керри и столкнул ее в бассейн?

— Я — Здоровяк. Здоровяк стукнул Керри и свалил ее в воду.

— Джейми, ты — Здоровяк. А есть еще другой Здоровяк?

На лестнице раздались шаги. Дверь распахнулась, и в комнату вошла Мардж. Нерлино маячил у нее за спиной.

— Вы не имеете права не пускать меня к сыну, — заявила она и направилась к Джейми. — Как ты, дорогой?

— Я рассказал ему секрет, — сообщил ей сын. — Ты ведь разрешила.

Хозяйка дома гневно посмотрела на Уилсона.

Майк поднялся.

— Миссис Чэпмен, как я уже говорил вам раньше, мы располагаем ордером на обыск дома. — Он посмотрел на кроссовки Джейми. — Это и есть твои новые кроссовки, Джейми?

— Да, они вам нравятся?

— Нравятся. Мне нужно одолжить их у тебя на несколько дней.

— Ну ладно, — согласился юноша. Разуваясь, он смотрел на мать в поисках ее одобрения.

— Джейми, ты помнишь, в чем ты был одет в тот вечер, когда плавал с Керри после вечеринки?

— Да. Мама купила мне рубашку.

— Можешь показать ее мне?

— Конечно, — ответил молодой человек, после чего подошел к комоду и открыл и закрыл по очереди два ящика. — Мама купила ее в Диснейуорлде, — гордо объявил он и, развернув рубашку, продемонстрировал ее детективу.

— Ты помнишь, какие на тебе были брюки, когда ты вошел в бассейн к Керри?

Чэпмен слегка растерялся, разглядывая свои брюки в шкафу.

— У меня много брюк.

— Это ничего, Джейми. Значит, в этой рубашке ты пошел купаться с Керри?

— Да, — улыбаясь, ответил юноша. — Она теперь сухая.

— Ты ее постирал?

— Нет, ее постирала мама.

Тони Картер показал, что в воскресенье утром, во время их разговора у супермаркета Джейми объяснил ему, что ему пришлось надеть старые кроссовки, так как новые промокли.

— Джейми, это детектив Нерлино, — представил Уилсон своего коллегу. — Ты можешь отнести кроссовки и рубашку вниз? Он даст тебе пакет, и ты туда их положишь.

— Ладно, — согласился парень и вышел вслед за Энди из комнаты.

Оставшись без свидетелей, Мардж попыталась оправдаться:

— Вы можете спросить у отца Фрэнка. Я собиралась обратиться в полицию и рассказать о том, что видел Джейми. Но адвокат, которого предложил отец Фрэнк, находится в Атланте. Через два дня, встретившись с ним, я бы пришла к вам. Отец Фрэнк пойдет со мной к адвокату. После этого мы можем поговорить.

— Миссис Чэпмен, давайте я проясню. Вы говорите, что вы и Джейми наняли адвоката?

— Да, это так.

— Это ваше право.

— Пока я не встречусь с ним, ни я, ни Джейми больше не будем общаться с вами.

— Хорошо. Сегодня вопросов не будет, но обыск мы проведем.

— Мам, это ничего, что я рассказал им наш секрет? — закричал снизу сын Мардж.

— Ничего, Джейми, все в порядке, — крикнула женщина в ответ.

Голос у нее был усталым, и, спускаясь по лестнице, она задыхалась.

Зазвонил телефон. Это был отец Фрэнк.

— Мардж, я звоню, чтобы справится, все ли у вас хорошо.

60

Два дня, что оставались до приезда Грега Барбера из Атланты, показались Мардж бесконечными. Она пожаловалась отцу Фрэнку, что детектив Уилсон настоял на беседе с ее сыном наедине.

— Не представляю, что Джейми ему там понарассказывал и как все это вывернет следователь, — сказала она. — Я очень этого опасаюсь.

— Мардж, встреча с Грегом Барбером назначена на десять часов послезавтра, — сообщил ей священник. — Я заеду за вами в полдесятого, и мы отправимся к нему вместе. Грег — первоклассный адвокат. Смею вас заверить в этом. Я знаю, что вы почувствуете себя намного лучше, после того как поговорите с ним.

Джейми понимал, что мать расстроена. Три или четыре раза он задавал ей один и тот же вопрос:

— Мам, ты сердишься на меня, потому что я разболтал наш секрет? Майк сказал, что ты разрешила.

— Джейми, я не сержусь на тебя, — повторяла Чэпмен каждый раз. Его беспокойство лишний раз напомнило ей о том, насколько ее сын доверчив и как легко его сбить с толку.

Отец Фрэнк заехал за ней ровно в 9.30.

— Офис Грега Барбера находится прямо за углом здания суда, — пояснил он.

Когда они проезжали мимо суда, Мардж невольно поморщилась. Сюда привезли Алана Кроули, подумала она, и ей вспомнился тюремный оранжевый комбинезон, который она видела в новостях. Ее сердце разрывалось при мысли о том, что такой же комбинезон могут надеть на Джейми.

Они прибыли на десять минут раньше назначенного времени, но секретарь в приемной тут же проводила их в личный кабинет Грега Барбера.

Чэпмен он понравился. Ему было около пятидесяти, и у него были редеющие седые волосы. Очки в роговой оправе придавали ему сходство со школьным учителем. Он встал из-за стола, чтобы поздороваться с посетителями, и пригласил их сесть за небольшой стол для совещаний.

Как только они заняли свои места, он сразу перешел к делу:

— Миссис Чэпмен, отец Фрэнк снабдил меня предварительной информацией о вашем сыне. Как я понимаю, у него особые потребности, интеллектуальное отставание?

Мардж кивнула, а потом выложила все:

— Мы с отцом Фрэнком планировали обратиться в полицию вместе с вами, чтобы рассказать о том, что видел Джейми, но этот пустозвон Тони Картер начал болтать, что это он раскрыл дело и что Джейми убил Керри Даулинг. После этого детектив явился к нам домой и разговаривал с Джейми наедине наверху, пока меня держали внизу. Одному Богу известно, что он там выудил из Джейми.

— Миссис Чэпмен, я уверен, что вам известно о правиле Миранды[1]. Детектив должен был предупредить вас и Джейми, что вы не обязаны с ним разговаривать.

— Я не помню, чтобы он что-то такое говорил. И я не имею понятия, о чем он говорил с Джейми, когда они были наверху.

— Сколько лет Джейми?

— Двадцать.

— Он ходил в школу?

— О да. Он окончил нашу среднюю школу в Сэддл-Ривер, он ходил в спецкласс.

— Какова природа его состояния?

— У меня были трудные роды, во время которых он был лишен доступа кислорода. Врачи сказали, что из-за этого пострадал его мозг.

— Джейми сейчас проживает вместе с вами?

— Разумеется. Один он жить не может.

— А где его отец?

— Он умер, когда Джейми было пятнадцать.

— Джейми работает?

— Да. Он складывает покупки пять дней в неделю по четыре часа в день в супермаркете

---

[1] Предупреждение о праве хранить молчание, использовании сказанного в суде и праве на адвоката.

«Акме». Там он и рассказал Тони Картеру про то, как он купался с Керри в тот вечер.

— Миссис Чэпмен, родители, дети которых отстают в умственном развитии, часто принимают некое решение по достижении ребенком восемнадцати лет. Чтобы защитить его, они оформляют опекунство, благодаря которому он остается в глазах закона вечным ребенком. Вы сделали это по отношению к Джейми?

— Когда он учился в школе, мне предложили оформить опекунство. Я так и поступила.

— То есть вы пошли в суд, предстали перед судьей, и он назначил вас полным опекуном, так что вы принимаете за него все решения?

— Да, это произошло через несколько месяцев после его восемнадцатилетия.

— Хорошо. Вы знаете, где находятся документы по опекунству?

— У меня дома, в верхнем ящике моего комода.

— Мардж, дайте их мне, когда я отвезу вас обратно домой, — попросил отец Фрэнк.

— Зачем они вам? — спросила Чэмпен Барбера.

— Я хочу установить, имел ли детектив право опрашивать Джейми без вашего присутствия и без вашего согласия. Кроме того, хотя Джейми и не был арестован и не находился в полицейском участке, раз его подозревают, он имел право не разговаривать со следователем. Но об этом потом. Пока что давайте начнем сначала, с того дня, когда ваши соседи устроили вечеринку и была убита девушка. Расскажите мне все: от того, что вы помните про тот вечер и про следующее утро, и до того момента, как на прошлой неделе к вам заявились детективы.

Шаг за шагом Мардж пересказала все произошедшее. Как она нашла в шкафу у Джейми сырые кроссовки и одежду. Как она увидела Стива Даулинга, который выносил мертвое тело Керри из бассейна. Как в панике она постирала вещи Джейми. Как заставила его никому не говорить о том, что случилось в бассейне. Как сын рассказал ей, что Алан поцеловал Керри и потом ушел.

Женщина объяснила, что переживает, так как Джейми сказал, что это Здоровяк ударил Керри и столкнул ее в бассейн, и что ее мучает чувство вины, с тех пор как арестовали Алана Кроули.

— Отец Фрэнк подтвердит, что я хотела пойти в полицию, но собиралась сначала поговорить с вами, — закончила она свой рассказ. — Но тут этот Тони Картер начал заявлять направо и налево, что он раскрыл убийство Керри и что это сделал Джейми.

— Миссис Чэпмен, существуют обстоятельства, которые вызывают у меня определенную озабоченность из-за того, что два члена семьи, подвергающиеся полицейскому расследованию, должны иметь разных адвокатов — заметил Грег. — Однако в настоящее время я могу представлять и ваши интересы, и вашего сына. У вас есть какие-либо возражения против этого?

— Конечно, нет, мистер Барбер. Я верю, что вы постараетесь для нас обоих, но меня сейчас волнует судьба Джейми.

— Отлично. Финансовые условия мы обсудим позже. А теперь положитесь на меня, — сказал Барбер и обратился к отцу Фрэнку: — Святой отец, после того как вы подвезете миссис Чэпмен, вы сможете бросить документы на опекунство в мой почтовый ящик?

— Разумеется, — пообещал священник.

— Миссис Чэпмен, сейчас я скажу вам нечто крайне важное. Если кто-нибудь свяжется с вами или с Джейми и захочет обсудить это дело, не говорите ничего. Просто дайте им мой телефонный номер и велите найти меня.

— Мистер Барбер... — начала было женщина.

— Прошу вас, зовите меня Грег.

— Грег, мне стало намного легче, я вам так благодарна. Пожалуйста, называйте меня Мардж.

— Мардж, — улыбнулся юрист, — отец Фрэнк очень высокого мнения о вас и о вашем сыне. Мы справимся со всем этим. Прошу вас завтра привезти сюда Джейми ровно в час дня. Мне надо еще раз услышать все от него.

61

Эйлин встревожилась после разговора с Фрэн. Она должна была раскрыть глаза Майклу Уилсону насчет Джейми, причем знала, что за пять минут всего не объяснишь.

Детектив ответил после первого же звонка.

— Майк, это Эйлин Даулинг. Я хотела бы поделиться с вами некоторой информацией. Вы свободны сегодня вечером?

— Свободен, — тут же отреагировал полицейский.

— Вы знаете ресторан «Эсти Стрит» на Парк-Ридж?

— Само собой. Там чудесно готовят.

— Сегодня в семь?

— По рукам.

Всю оставшуюся часть дня Эйлин чувствовала облегчение. Она не сомневалась, что Уилсон твердо намерен найти убийцу Керри, но он не знал Джейми так же хорошо, как она.

Когда девушка приехала в ресторан, Майк уже ждал ее там. Он помахал ей из-за столика в углу зала, а сев за столик, она обнаружила, что ее уже ждет бокал белого вина. На этот раз следователь заказал вино и себе.

— Сегодня я составлю вам компанию, — заметил он.

— Бокал вина мне сейчас нужен, как ничто другое, — призналась ему Эйлин.

— В таком случае я рад, что вам не придется его ждать. Кстати, как ваши родные?

— Получше. Собираются провести длинный уик-энд на Бермудах.

— Рад это слышать. Им сильно досталось.

Официантка тем временем принесла меню.

— Давайте сделаем заказ, пока тут не собралась толпа, — предложил Уилсон.

Он почувствовал, что Даулинг напряжена. Вид у нее был утомленный, и он обратил внимание, что за последние недели она похудела.

— Эйлин, я поинтересовался, как ваши родители, — сказал детектив. — Но не спросил, как вы сами себя чувствуете.

— Откровенно говоря, Майк, я просто не в состоянии поверить в происходящее. Я не могу сказать, что хорошо знаю Алана Кроули. Основную часть времени, пока Керри встречалась с ним, я жила в Лондоне. Мы с ним виделись несколько раз, когда я приезжала домой на праздники. Но когда Керри писала мне про него в своих письмах, было очевидно, что они оба очень любят друг друга. Я в курсе, что они разругались на вечеринке, однако есть существенная разница между недовольством и убийством. И вы, безусловно, знаете, что Тони Картер рассказывает всем и каждому, что это Джейми убил Керри. Я просто с ума схожу, когда слышу это. Я нянчилась с Джейми с тех пор, как ему исполнилось восемь лет. Я готова поклясться прямо сейчас, что ни за что на свете он не мог бы причинить боль Керри. Совершенно ясно, что он любил ее.

— Эйлин, вы только что признались мне, что на самом деле вы не знаете, что за человек Алан Кроули, потому что вас не было, когда Керри встречалась с ним. И позвольте напомнить, что эти три года вы не общались и с Джейми. Тот милый малыш, за которым вы присматривали, теперь стал взрослым молодым человеком. Люди меняются со временем. Это могло произойти и с Джейми.

— Майк, настолько люди не меняются. Я присягну на Библии, что Джейми не может ни на кого напасть, тем более на Керри.

— Эйлин, я сообщу вам нечто, что не должен раскрывать. Вы должны пообещать мне, что это останется между нами.

Даулинг кивнула.

— На днях я был у Чэпменов и разговаривал с Джейми. Мы сейчас исследуем некоторые улики. Когда мы получим результаты, мы будем знать больше.

Девушка понимала, что ей лучше не задавать лишних вопросов.

— Имейте в виду, Майк, — сказала она, — что моя мама тоже считает, что Джейми не мог обидеть Керри. А она наблюдала Джейми в течение тех трех лет, что я была в отъезде.

— Эйлин, я намерен выяснить, что произошло с Керри. И я буду расследовать каждую версию, прежде чем приду к окончательному выводу, — сказал Уилсон, после чего решил сменить тему разговора. — Что нового в школе?

— Все как обычно. Учеников выпускных классов сейчас изо всех сил подгоняют с написанием вступительного эссе для колледжа. Я посвящаю им много времени. Можете себе представить, как сложно им выбрать, куда пойти учиться дальше?

— Я не удивлен. Ведь это их первое по-настоящему важное решение в жизни.

— Есть одна ученица, которая вызывает у меня беспокойство. Она перевелась в нашу школу в январе, когда переехала из Чикаго. У нее очень сильно снизилась успеваемость без каких-либо видимых причин. Она замкнута. Родители просто места себе не находят.

— Думаете, дело в наркотиках?

— Нет, не думаю. Но я вижу, что она что-то скрывает. Просто не могу понять, что это может быть.

— У нее есть друзья в школе?

— Эта девочка была очень близка с Керри, когда они играли в одной команде по лакроссу, хотя она и моложе Керри на два года. Мне сказали, что Керри была ее ближайшей подругой. И теперь она тоскует по ней.

— Вы опасаетесь, что она что-нибудь сделает с собой?

— Этого боюсь и я, и ее родители. Они пытались отправить ее к специалисту. Она отказалась.

— К сожалению, это типичная реакция. Я очень надеюсь, что дело в тоске по старому дому и со временем это пройдет.

Им принесли еду. Майк был рад, что, по мере того как они ели, настроение у Эйлин улучшалось.

Он проводил ее до машины и открыл дверь, с трудом устояв, чтобы не обнять ее на прощанье.

62

В субботу утром в дверь дома Чэпменов позвонили. Мардж была удивлена, когда увидела на пороге Майка Уилсона.

— Миссис Чэпмен, я запросил разрешение взять у Джейми отпечатки пальцев. Вы и Джейми имеете право явиться в суд в сопровождении адвоката. Слушание назначено на десять утра в понедельник. Вот ваш экземпляр.

— Наш адвокат — Грег Барбер из Хэкенсэка, — взволнованно заявила Мардж. — Он очень умен. Я прямо сейчас собираюсь ему позвонить.

— Хорошо. Вот моя карточка. Если мистер Барбер пожелает связаться со мной до заседания суда, он может мне позвонить.

Глядя, как машина Уилсона удаляется по подъездной дорожке, Чэпмен принялась набирать номер Грега Барбера. Секретарь соединила их, и она прочитала адвокату доставленный детективом документ.

— Мардж, давайте успокоимся. Я этого ожидал, — ответил ей юрист. — Даже притом, что Джейми не арестован, судья может решить взять у него отпечатки. Завтра я поеду в суд вместе с вами. Я буду возражать, но я почти уверен, что судья даст разрешение. И поскольку завтра мы идем в суд, я прошу вас привести ко мне Джейми сегодня к семи часам.

В понедельник в десять часов Грег Барбер предстал перед судьей Полом Мартинесом, который по иронии судьбы также вел дело по обвинению Алана Кроули. Рядом с Барбером сидели Мардж Чэпмен, подавленная и испуганная, и взбудораженный происходившим вокруг Джейми.

Накануне Грег больше часа проговорил со своими клиентами. Интуиция подсказывала ему, что Джейми не совершал этого преступления. Однако та же интуиция говорила, что и Алан Кроули не был виновен.

Барбер встретился с заместителем прокурора Арти Шульманом и заявил, что будет возражать против взятия отпечатков пальцев у Джейми Чэпмена, хотя и признал, что судья все равно примет положительное решение. Кроме того, адвокат подчеркнул, что представляет интересы и Мардж, и ее сына и что никто без его согласия не может их допрашивать.

Во время скорого слушания дела Шульман изложил для протокола основания для привлечения и допроса Джейми Чэпмена. В то время как статус этого молодого человека оставался не совсем определенным, это должно было повлечь за собой освобождение от бремени вины Алана Кроули. Судья дал понять, что для него эта новая информация является неожиданностью, и тут же приказал взять у Джейми отпечатки пальцев.

Затем Грег мягко объяснил Джейми, что произойдет, когда тот спустится вниз, и добавил, что он все время будет рядом.

В молчании Мардж и ее сын последовали за адвокатом в прокуратуру, которая располагалась на втором этаже здания суда. Грег и Джейми вошли внутрь, в то время как миссис Чэпмен осталась ждать их на скамье в коридоре.

Не прошло и получаса, как закончилось слушание, а прокурора Мэтью Конинга уже атаковала звонками пресса. Все требовали подробностей о новом подозреваемом в деле об убийстве Керри Даулинг.

Лестер Паркер, адвокат Алана Кроули, выразил свое крайнее раздражение.

— Я отдаю себе отчет, господин прокурор, что вы не можете мгновенно сообщать мне обо всех изменениях в деле. Но очевидно, что ваше расследование ушло далеко вперед. Мой восемнадцатилетний подзащитный был безосновательно обвинен, и его родители опасаются, что он наложит на себя руки. Когда вы обращаетесь в открытый суд и объявляете о новых данных в расследовании, а я узнаю об этом от представителей прессы, это никуда не годится, и вы это знаете.

— Послушайте, Лестер, я ответил на ваш звонок только потому, что должен перед вами объясниться, — отозвался Конинг. — Мы рассчитывали, что это не просочится в прессу, пока мы не возьмем отпечатки, не проведем экспертизу и не поймем, повлияет ли это каким-либо образом на расследование. Мы лишь обязаны поставить вас в известность в том случае, если будет доказано, что Алан Кроули не совершал этого преступления. А мы далеки от подобного вывода. Если возникнут какие-либо существенные подвижки в этом деле, я вас уведомлю.

— А я уведомлю вас, если мой невиновный подзащитный сведет счеты с жизнью, ожидая вашего звонка.

63

Мардж и Джейми приехали домой. Войдя внутрь, юноша тут же заявил:

— Мам, я хочу есть. Можно мне китайскую еду на обед?

Миссис Чэпмен хотела было заказать доставку еды, когда, открыв холодильник, обнаружила, что у них кончилась диетическая кола.

— Джейми, я поеду куплю китайской еды, а по дороге загляну в магазин, — сказала она. — Я скоро вернусь. Пойди пока посмотри у себя видео.

Вернувшись через двадцать минут, Мардж, к своему смятению, увидела перед домом фургон с телерепортерами. Джейми стоял посреди лужайки и улыбался, а рядом с ним была женщина с микрофоном. Их снимали на камеру.

Хозяйка дома зарулила на подъездную дорожку и ударила по тормозам. Вылезая из машины, она слышала, как Джейми рассказывает:

— И тогда я пошел плавать с Керри.

— Оставьте его в покое! — закричала Мардж. — Джейми. Ничего не говори. Иди в дом.

Испугавшись криков матери, молодой человек побежал домой.

Поддерживаемая оператором, репортерша побежала к хозяйке.

— Миссис Чэпмен, не хотели бы вы прокомментировать сегодняшнее слушание в суде Хэкенсэка?

— Нет. Я хочу, чтобы вы и этот парень с камерой немедленно убрались с моей собственности! — прокричала Мардж, открывая входную дверь и с грохотом захлопывая ее за собой.

Почувствовав себя немного лучше в родных стенах, но все еще пребывая в ужасе от того, что еще мог нарассказать Джейми, она рухнула в свое любимое кресло. «На сколько еще хватит моих сил?» — спрашивала она себя, оглядываясь в поисках сумочки. Ей нужно было срочно принять нитроглицерин.

— Мам! — прокричал сверху из своей комнаты Джейми. — А меня покажут по телику, как Алана?

— Нет, сынок, — ответила Мардж, не особо, впрочем, в этом уверенная.

— Мам, я хочу есть наверху. Принесешь мне китайскую еду?

Тут Чэпмен сообразила, что все ее покупки — и диетическая кола, и еда, а кроме того, сумочка — остались в машине. Женщина подошла к окну и выглянула на улицу. Фургон с репортерами уехал. Горизонт был чист. Она побежала к машине.

64

Заместитель прокурора Арти Шульман вместе с Майклом Уилсоном направлялись к прокурору. Они уже сообщили Мэтту Конингу, что на клюшке для гольфа были обнаружены отпечатки Джейми Чэпмена.

— Он признал, что взял клюшку и положил ее на кресло около бассейна, — сказал Майк.

— Но на клюшке также есть отпечатки Алана Кроули. Я не ошибаюсь? — уточнил Мэтт.

— Да, есть. Мы знаем, что Алан солгал, но позже Чэпмен сообщил нам, что видел, как Кроули разговаривает с жертвой и покидает участок, до того как с ней что-либо произошло.

— Насколько я понимаю, Чэпмен умственно отсталый. Мы можем доверять его показаниям? — спросил Конинг.

— По большей части можем, — вздохнул Майк. — Он понимал мои вопросы. Ясно помнил, как спускался в бассейн к жертве. Вспомнил и быстро предоставил одежду, которая была на нем в ночь преступления. По его представлению, жертва спала в бассейне. Конечно, это подразумевает, что Керри Даулинг была мертва, когда он пришел к бассейну. Но он также сказал, что пытался ее разбудить, а она ответила: «Я не могу». Это может означать, что она все еще была жива.

— Могла она ответить: «Я не могу», находясь в бассейне после получения удара?

— Нет. Ей нанесли тяжелый травмирующий удар в затылок. Она потеряла сознание еще до того, как упала в воду.

— Хорошо. Каково ваше мнение по поводу Джейми Чэпмена?

— Его ответы создают смешанное впечатление. Я спросил его, не он ли нанес удар Керри. Он ответил, что нет. Он сказал, что Керри стукнул некий Здоровяк, а его так называл покойный отец. Я попытался выяснить у него, был ли там еще один Здоровяк, но четкого ответа не получил. Так что я не знаю, видел ли он там кого-то еще или это был он сам.

— И что делать с Аланом Кроули, которого мы арестовали?

— Джейми четко показал, что Алан обнял жертву и ушел, — ответил Уилсон.

— Шеф, практически все указывало на Алана Кроули, — попытался защититься Арти. — Поэтому мы и рекомендовали вам одобрить его арест. Но последние результаты следствия ставят под сомнения то, что он убийца.

На лице прокурора, когда он осознал последствия того, что они, возможно, арестовали невиновного, отразилась досада.

— Нам сейчас нужно узнать все, что можно, о Джейми Чэпмене, — предложил Шульман. — Школьные записи, случаи нарушения дисциплины. Любые проявления агрессии. У него, как у ученика спецкласса, должен быть индивидуальный план обучения. Давайте изучим все это и поговорим с его учителями.

— Вы понимаете, что для этого понадобится решение суда, — заметил Конинг.

— Да, я в курсе, — ответил Арти.

— И вы отдаете себе отчет, что адвокат Чэпменов будет противостоять нам на каждом шагу. Хотя, знаете, по иронии он-то как раз и разрешит нам получить все эти записи, если сочтет, что они пойдут на пользу защите.

— Итак, — подытожил Шульман, — я свяжусь с Грегом Барбером и узнаю, какова его позиция по этому вопросу.

65

На следующее утро после судебного слушания и атаки журналистов Арти Шульман, Мэтт Конинг и Майк Уилсон собрались на очередное совещание. Все трое признавали, что следствие и обвинение зашли в тупик.

Считавшееся железным обвинение против Алана Кроули рассыпалось. А Джейми Чэпмена, скорее всего, не являвшегося убийцей, нельзя было списать со счетов. Он упоминал Здоровяка, который ударил Керри, но было непонятно, имел ли он при этом в виду себя или кого-то другого. Адвокаты Кроули и Чэпменов запретили проводить допросы своих клиентов.

Оставалась еще эта ниточка насчет водителя эвакуатора, который менял колесо на машине Керри.

Конинг оказался прав, и Грег Барбер согласился предоставить следствию копии школьных записей Джейми. Просмотрев документы, полученные из его бывшей школы, Барбер велел своей секретарше сделать копии и отослать их в офис прокурора.

Как они и ожидали, записи подтвердили, что у Чэпмена серьезные умственные отклонения. Но его история также констатировала, что он был послушным и дружелюбным мальчиком и не проявлял никакой склонности к агрессии или насилию.

Прокурор и его помощник пришли к выводу, что на данном этапе они не будут просить суд снять с Алана Кроули обвинение в совершении преступления. Мэтт Конинг угрюмо добавил, что сам свяжется с Лестером Паркером и сообщит ему, что обвинение согласится на то, чтобы снять электронный браслет и отменить запрет на передвижение за пределы штата Нью-Джерси. Он понимал, что это утихомирит Паркера лишь на какое-то время, но Конинг твердо решил заявить, что дальше этих мер он не пойдет.

Заканчивая совещание, прокурор сказал:

— Я знаю, что мы стараемся изо всех сил. Но за все на свете приходится платить.

66

После смерти Керри прошло две с половиной недели. Постепенно приходило ощущение безвозвратности потери. Эйлин старалась быть дома не позже половины седьмого, чтобы выпить с матерью по бокалу вина. Ей казалось, что это поднимает дух Фрэн. Но сегодня, как только она вошла, ей сразу стало понятно, что у матери был особенно плохой день. У нее опухли глаза. Она сидела в гостиной и просматривала семейный альбом с фотографиями.

Когда дочь вошла, миссис Даулинг подняла голову, но альбом не закрыла.

— Ты помнишь, как Керри сломала лодыжку, когда ей было одиннадцать лет? — спросила она. — Я столько раз ее предупреждала... Она хорошо каталась на коньках. Но у нее не получались вращения, и она все продолжала крутиться.

— Помню, — ответила Эйлин. — Мне никогда эти коньки не давались.

— Нет, не давались, — согласилась ее мать. — Ты всегда отлично училась, а Керри была очень спортивной.

— Думаю, пора налить вина, — предложила девушка, забирая у нее альбом.

Фрэн закрыла глаза.

— Пожалуй, — безучастно произнесла она.

— Тут так вкусно пахнет! — крикнула Эйлин из кухни.

— Это телятина с пармезаном. Я думала, вам придется по вкусу, для разнообразия.

Эйлин так хорошо помнила, что телятина с пармезаном была любимым блюдом Керри. Она вернулась из кухни с двумя бокалами вина и включила еще несколько ламп.

— Освети свой угол[1], — сказала девушка.

---

[1] Обыгрывается название популярного госпела (1912).

— Странно, что ты знаешь эту песню, — удивилась ее мать. — Это старый госпел[1].

— Мам, я не знаю песню. Я помню, что ты повторяешь это каждый раз, когда зажигаешь лампу.

— Наверное, — искренне улыбнулась Фрэн, а потом добавила: — Не знаю, что бы мы с отцом делали, если бы ты осталась в Лондоне.

— Я бы сразу же прилетела.

— Да, я знаю. Ладно, давай-ка сменим тему. Как дела у тебя в школе?

— Я рассказывала тебе, что все выпускники сейчас сосредоточены на выборе колледжа. Одним писать вступительное эссе легко, и они, не задумываясь, излагают свои истории на бумаге. Другим каждое слово дается с большим трудом.

Раздался звук открываемой двери. Пришел с работы Стив. Он появился в гостиной и, бросив взгляд на вино, заметил:

— Полагаю, где-то сейчас пробил файф-о-клок. Наклонившись, он обнял жену.

— Как ты?

— Сегодня что-то не очень, — ответила та. — Я ездила по делам и случайно проехала мимо школы. Увидела, как девочки играют в футбол. И меня одолели разные мысли.

— Понимаю. Я специально объезжаю этот район, чтобы школа не попалась мне на глаза. Есть в этом доме еще вино или вы все выпили?

---

[1] Здесь: христианский гимн, решенный в форме популярной песни.

— Сейчас принесу, пап, — сказала Эйлин.

Пока она была на кухне, в дверь позвонили.

— Ты кого-нибудь ждешь? — вставая, спросил Даулинг.

— Нет, — ответила ему Фрэн.

Когда Эйлин возвращалась с бокалом вина для отца, Стив вошел в гостиную в сопровождении Скотта Кимбелла. «Что он тут делает?» — удивилась девушка.

— Привет, Скотт, — сказала она. — Какой сюрприз! С папой ты, очевидно, уже познакомился. А это моя мама, Фрэн. Мама, это Скотт Кимбелл.

— Я знаю, кто он такой, — ответила миссис Даулинг. — Скотт был тренером Керри по лакроссу.

— Хотите выпить, Скотт? — предложил глава семейства.

— Я бы с удовольствием выпил белого вина вместе с вами, если не возражаете, — кивнул гость.

— Возьмите, — сказал Стив, указывая на бокал в руках дочери. — Я себе еще принесу.

— Садитесь, пожалуйста, — пригласила Фрэн.

«И ботиночки скиньте», — подумала про себя Эйлин.

— Итак, Скотт, — поинтересовалась она, — какими судьбами?

— Я пытался дозвониться до тебя, Эйлин, но твой телефон был отключен, — стал рассказывать Кимбелл. — Мне сегодня позвонил один приятель, в полном расстройстве. У него пропадали два билета на «Гамильтона»[1] на завтра, так как ему предстояло уехать по срочному делу. Он отдал билеты мне. Я надеялся, что ты не занята завтра вечером.

— О, Эйлин, как это замечательно! — вмешалась Фрэн. — Мы с отцом мечтаем попасть на это шоу.

Девушка задумалась, как бы ей убедить Скотта отдать эти билеты родителям. Она попыталась найти повод для отказа.

Но Фрэн ответила за дочь:

— О, Эйлин, конечно, ты пойдешь! Все без ума от этой постановки.

— Скотт, как это мило с вашей стороны, — добавил Стив.

Мисс Даулинг и вправду хотелось посмотреть «Гамильтона». Ей просто не очень улыбалась перспектива провести третий вечер со Скоттом Кимбеллом. Ей совсем не нравилось, что он вот так заявился к ней домой. Но не успела она открыть рот, как ее мать уже говорила:

— Скотт, вы любите телятину с пармезаном?

— Я обожаю телятину с пармезаном, но я не хочу быть навязчивым, — сказал тренер.

— Тот, кто приносит в наш дом два билета на «Гамильтона», никак не может быть навязчи-

---

[1] Сверхпопулярный современный американский мюзикл (2015), уже признанный одним из самых выдающихся за всю историю жанра в США.

вым, — с чувством сказал Даулинг. — Так ведь, Эйлин?

И его дочери ничего не оставалось, кроме как ответить: «Ну конечно!»

Скотт уселся напротив Эйлин, на место, которое обычно занимала Керри.

За столом он рассказал про свою семью.

— Я вырос в Небраске. Мои родители живут там до сих пор. Так же как и дедушка с бабушкой. Я провожу с ними все праздники. Но, как я уже говорил Эйлин, я люблю путешествовать. Так что почти каждое лето я куда-нибудь уезжаю.

— А мы с друзьями раз в год совершаем круиз по реке, — подхватила Фрэн. — Я получаю от этих круизов огромное удовольствие. В прошлом году мы ездили по Дунаю. В позапрошлом — по Сене.

— Речной круиз стоит у меня в планах, — тут же отреагировал Кимбелл. — На каком судне вы ездили?

Эйлин промолчала весь ужин. «Не успеешь оглянуться, как он принесет тебе билет на речной круиз, — думала она. — И попробуй пригласить кого-нибудь другого».

Пока они пили кофе, девушка размышляла, почему ее так раздражает Скотт. После первого свидания она не собиралась с ним больше встречаться, но трудно было отрицать, что она отлично провела время за вторым ужином. А кроме того, ей импонировало, как он переживал за Валери.

Но Эйлин не желала, чтобы ее против воли втягивали в отношения. После сегодняшнего ужина она сходит с Кимбеллом завтра на «Гамильтона», и на этом все. Точка.

Затем ей вспомнился Майк. Если бы он явился с билетами на шоу, как она была бы рада ответить ему «да».

Мисс Даулинг поняла, что не ошибалась, когда на следующий вечер после мюзикла Скотт подвез ее до дома и проводил до дверей. Пока она искала в сумочке ключи, он вдруг обнял и поцеловал ее.

— Я в тебя влюбляюсь, Эйлин, — произнес тренер. — Скажем так, уже влюбился.

Девушка отстранилась от него и вставила ключ в замок.

— Сделай одолжение нам обоим. Не влюбляйся, — настойчиво попросила она, вошла в дом и закрыла за собой дверь.

67

Уилсон только-только появился на работе, когда в дверь его кабинета постучался следователь Сэм Хайнс.

— Майк, кажется, я кое-что нарыл по эвакуаторщику.

— Выкладывай, — Майкл махнул рукой Хайнсу, чтобы тот вошел.

— Мне случайно повезло, потому что я нашел его там, где не искал, — начал Сэм. — Я изучал списки водителей, полученные от компаний, которые имеют разрешение от местных властей на эвакуационные работы. Но ничего стоящего мне не попадалось. Эвакуаторами владеют не только эти компании, такие же машины для вывоза битых тачек имеют и автомобильные свалки.

— Логично.

— Поэтому-то я и обратил внимание на рапорт об аресте из отделения в Лодай, — перешел ближе к делу Хайнс. — Три часа назад за владение кокаином и приспособлениями для употребления наркотиков был арестован Эдвард Дитц, двадцати четырех лет. Его остановили на Семнадцатом шоссе за превышение скорости и обгон справа. Его эвакуатор зарегистрирован на автосвалку «Ферранда Бразерс» из Муначи. Дальше интересней. Пока я читаю рапорт об аресте этого малого, мой телефон начинает звонить. На проводе патрульный Сэнди Фитчет из отделения в Лодай. Фитчет видит, что мы разыскиваем человека на эвакуаторе. В общем, они задержали парня, чтобы проверить, нет ли за ним других грехов. А они у него есть: неявка в суд за нарушение правил дорожного движения, неуплата алиментов, да еще три месяца назад было закрыто дело о нападении, когда он пытался поцеловать женщину, которой помог завести машину на парковке торгового центра в Вудбери-Коммонс.

— Почему закрыли дело?

— Жертва проживает за пределами штата. Она не явилась на дачу показаний.

— Сколько лет жертве?

— Семнадцать.

— То есть он предпочитает нападать на молоденьких. Предлагает им помощь, а потом пытается этим воспользоваться. Отличная работа, Сэм. Я хочу немедленно поговорить с нашим добрым самаритянином.

— Я это предвидел, — ответил Хайнс. — Фитчет ждет в участке. Дитц все еще у них в обезьяннике.

Пока Майк тащился по 17-му шоссе, он очень надеялся, что арестованный водитель эвакуатора окажется тем самым парнем, который повстречался Керри. С другой стороны, он представлял себе, как будет злорадствовать пресса, когда станет известно, что у прокуратуры появился еще один, уже третий, подозреваемый в убийстве Даулинг. «Не беги впереди паровоза, — сказал он себе. — Еще неизвестно, тот ли он, кто нам нужен».

Когда следователь наконец добрался до полицейского участка в Лодай, дежурный сержант указал ему на патрульного по имени Сэнди Фитчет. Этот патрульный оказался, строго говоря, патрульной. Она сидела в комнате за столом, на котором были сложены прозрачные пакеты с уликами. В одном пакете находились ключи, складной нож и кошелек, другой был набит бумажками.

Фитчет встала и, протянув руку, представилась. Майк прикинул, что на вид ей было лет 25—30.

Она доложила ему, при каких обстоятельствах произошло задержание Дитца.

— Я только что приступила к изучению его личных вещей, — пояснила сотрудница полиции, высыпая на стол содержимое пакетов с уликами.

— Какой толстый кошелек! — заметил Уилсон. — Не возражаете, если я сам его осмотрю?

— Милости прошу, — ответила Сэнди и занялась вторым пакетом.

— Что это такое? — поинтересовался Майк, указывая на пакет, лежавший перед ней.

— Это было изъято из эвакуатора. Поверх этих бумаг лежала трубка для крэка. Я просто хочу посмотреть, нет ли здесь чего-нибудь интересного.

— Значит, вы обыскали его грузовик. Как вам удалось так быстро получить ордер?

— Он нам не понадобился. Эта машина Дитцу не принадлежит, она зарегистрирована на «Ферранда Бразерс». Я поговорила с владельцем. Заверив меня, что ничего из того, что мы обнаружим в машине, к нему отношения не имеет, он разрешил мне ее обыскать.

— Что вы думаете о Дитце?

— Я ему зачитываю права во время ареста, а этот придурок начинает говорить мне, какая я симпатичная. Что за урод!

Слушая эту девушку, Майкл улыбнулся. Кошелек Дитца был настолько набит, что детектив засомневался, влезет ли он в задний карман. Он начал доставать оттуда бумажки и раскладывать их по кучкам. Чеки из «Вендис», «Макдоналдс», «Данкин Донатс». Чеки за бензин, из супермаркета «Шопрайт». Штраф за нарушение ПДД трехнедельной давности. Счет за ремонт мотоцикла. Несколько визиток, включая одну от врача и две от адвокатов. Одного из них Уилсон знал — его офис находился в Восточном Ратерфорде.

Неожиданно его взгляд упал на порванный конверт с нацарапанным на нем телефонным номером.

От Сэнди не утаилось, как он изменился в лице.

— Что такое, Майк?

Следователь молча вытащил из кармана блокнот и полистал его. Потом сверился с номером, написанным на конверте. Криво усмехнулся.

— Бинго, — произнес он. — Номер на этом клочке бумаги из кошелька Дитца — мобильный Керри Даулинг. Это наш парень.

— Майк, вы не возражаете, если я понаблюдаю из другой комнаты, как вы будете допрашивать Дитца? — попросила патрульная.

— Отнюдь.

Ожидая, пока приведут Эдварда Дитца, Майкл позвонил Арти Шульману. Заместитель прокурора настоял на том, чтобы Уилсон отзвонился после допроса задержанного.

Дверь отворилась, и Сэнди Фитчет под руку ввела в допросную Дитца. На нем были выцветшие засаленные джинсы и стоптанные рабочие ботинки. На правом плече его заляпанной серой майки красовалась дырка, а на груди — логотип компании, производящей двигатели. Руки арестованного были скованы наручниками спереди. На предплечьях виднелись свежие отметины от инъекций. Он сел на складной стул напротив Майка.

Ростом этот коротко стриженный парень был пять футов десять дюймов. Несмотря на щетину и темные круги под глазами, он был красавчиком.

— Мистер Дитц, меня зовут Майк Уилсон. Я работаю детективом в прокуратуре округа Берген, — представился Майкл.

— А я Эдди Дитц, но вы, наверно, это уже знаете. Почту за честь познакомиться с вами, детектив, — саркастически произнес Эдвард.

— Хорошо, Эдди, не хочу отнимать у тебя время, так что давай ближе к делу. Позволь я начну с того, что мне совершенно не интересен ни твой штраф за превышение скорости, ни арест за наркотики, ни просроченные штрафы и неуплаченные алименты. Надеюсь, я ничего не упустил. В одном из дел, которые я веду, заме-

шана некая девушка. Тебе знакома Керри Даулинг?

Дитц задумался на минуту.

— Нет, это имя мне ничего не говорит.

— Может быть, это поможет, — сказал Майк,
вытаскивая из конверта снимок Керри и при-
двигая его поближе к Эдварду.

Тот посмотрел на снимок, а потом поднял
глаза на следователя.

— Простите, я ее не знаю.

— Ты говоришь, что не знаешь ее. То есть ты
ее никогда не встречал?

Дитц покачал головой.

— Ну хорошо, Эдди, посмотрим, смогу ли я
освежить твою память. Девушка на снимке —
это Керри Даулинг, восемнадцати лет. Две с половиной недели назад она была найдена мертвой в бассейне у себя дома после вечеринки с
одноклассниками.

— А, да, кажется, я что-то видел в новостях.

Майк извлек из-под стула пакет и положил
его на стол.

— Это твой? — спросил он, указывая на кошелек в пакете.

— Похоже, мой.

— Он твой, Эдди. А бумаги, которые лежат в
кошельке, они твои?

— Возможно.

— Эдди, меня интересует вот этот клочок, —
говоря это, детектив положил на стол перед Эд-
вардом разорванный конверт.

— Тут чей-то телефон, — пожал плечами арестованный. — Ну и что?

— Эдди, ближе к делу. За неделю до ее смерти ты ехал по шоссе номер семнадцать в Мавахе. Ты остановился поменять колесо Керри Даулинг. Вы договорились об алкоголе для ее предстоящей вечеринки, на которую ты так хотел попасть. Ты даже предложил зайти, после того как разойдутся все гости. А когда она отказала тебе, ты попытался на нее наброситься.

— Ничего я не набрасывался. Она сама хотела.

— Ну конечно, Эдди. Как та девушка в Вудберри-Коммонс. Симпатичный парень помог ей завести машину. Она просто хотела отблагодарить.

— Ну да.

— Эдди, как бы я ни хотел прижать тебя за то, что ты лапал Керри, когда привез ей выпивку, а также за продажу алкоголя несовершеннолетним, я не могу этого сделать. Единственная свидетельница — Керри Даулинг, и она мертва. Но ведь на этом твоя история с Керри не закончилась? Позже, тем же вечером, ты...

— Минуточку. Вы же не думаете, что я...

— Вот именно, Эдди. Я думаю, что ты пришел к ее дому после вечеринки. Может, ты был нетрезв или под кайфом. А когда она отвергла твои приставания, ты разозлился и убил ее.

Теперь Дитц тяжело дышал. Его взгляд, прежде вялый и безразличный, вдруг стал четким и сфокусированным.

— Она когда умерла, в субботу? — спросил он.

— В субботу, двадцать пятого августа, — ответил Майк. — В тот самый день, когда ты привез ей пиво и пытался напроситься в гости.

— Хорошо, это я признаю. Когда я привез выпивку, я попросил пригласить меня на вечеринку. Но я могу доказать, что в тот вечер я у нее дома не был.

— Каким образом? Где ты был? — потребовал объяснений Уилсон.

— В тот вечер я ездил в Атлантик-Сити. Я остановился в отеле «Тропикана» и почти всю ночь играл в казино.

— В котором часу ты приехал в «Тропикану»?

— Я зарегистрировался около десяти часов вечера.

Майкл быстро произвел подсчеты. От Сэддл-Ривер до Атлантик-Сити сто сорок миль. Даже если Дитц гнал как подорванный, он бы не успел доехать быстрее, чем за два часа. Если он убил Керри в 23.15, то смог бы вернуться в «Тропикану» не раньше половины второго.

— Что-то я не нашел счета из «Тропиканы» в этом мусоросборнике, который ты называешь кошельком, — заметил следователь.

— Ну, я не все сохраняю.

— Как ты доехал до Атлантик-Сити?

— На машине.

— Один?

— Да.

— На чьей машине?

— На своей.

— На платных дорогах ты платил электронным способом?

— Нет, я потерял кредитку и с тех пор плачу наличкой.

— Как платил за номер в отеле?

— Наличкой.

— Ладно, Эдди, я проверю твою историю про «Тропикану». Я знаю, где тебя найти.

Майк быстрым шагом направлялся на выход, когда его окликнул дежурный сержант:

— Детектив, офицер Фитчет просит вас задержаться на несколько минут. Она хочет с вами поговорить.

— Хорошо, — ответил Уилсон и, пододвинув стул, присел, после чего набрал Арти Шульмана, который сразу ответил на звонок.

— Арти, я все еще в отделении в Лодай, — сообщил детектив. — Парень, которого они задержали, и есть наш эвакуаторщик. Он утверждает, что во время убийства находился в Атлантик-Сити. Я проверяю его показания.

— Отличная работа. Я узнаю, нет ли у нас кого-нибудь там, чтобы ускорить процесс. Держи меня в курсе.

Краем глаза Майкл заметил Сэнди Фитчет, которая несла листок бумаги. Она села рядом с ним.

— Я только что говорила с дядей, Хербом Филлипсом. Он служит лейтенантом в полиции штата в Южном Джерси и тесно сотрудничает со службой охраны в казино. Дядя Херб договорился с начальником службы безопасности «Тропиканы»: они будут ждать вас или вашего сотрудника завтра в десять утра, чтобы просмотреть записи камер видеонаблюдения.

— Завтра с утра я должен быть в суде, так что не смогу прийти. Я пришлю кого-нибудь из моих следователей. За мной ужин. Большое спасибо, — поблагодарил Уилсон и поспешил к машине.

Сначала он связался с Сэмом Хайнсом. Изложив ему показания, полученные от Дитца, Майкл велел:

— Поставь будильник. Тебе предстоит быть в Атлантик-Сити к десяти утра. Потом позвони Арти и доложи ему обстановку.

Утром Майк вернулся к себе, чтобы заняться бумажной работой. В процессе, где он должен был свидетельствовать, образовалась пауза до вечернего заседания. В полдвенадцатого зазвонил его телефон, и на экране высветилось: «Тропикана». Он ответил на звонок.

— Сэм, что у тебя?

— На имя мистера Эдварда Дитца на двадцать пятое августа был зарезервирован одноместный номер. Его оплатили наличными авансом. На записи с камер наблюдения молодой белый мужчина — я абсолютно уверен, что это Дитц, — входит в отель в двадцать один сорок девять. Есть еще записи того, что происходило внутри казино, но...

— Не трудись, — перебил Уилсон коллегу. — Если он был в Атлантик-Сити около десяти, он никак не мог вернуться в Сэддл-Ривер к одиннадцати пятнадцати. Поблагодари от меня тамошних коллег.

Затем Майкл прервал связь и выдохнул. Ему не очень-то улыбалось докладывать заместителю прокурора Арти Шульману и прокурору Мэтту Конингу о том, что в деле об убийстве Даулинг они вернулись к прежним подозреваемым: Алану Кроули и Джейми Чэпмену.

68

Марина Лонг раздумывала, не стоит ли ей бросить работу. Ее всегда интересовала мода, и поэтому она устроилась в бутик в Риджвуде. Она обладала талантом подбирать для клиентов подходящий стиль в одежде в зависимости от их фигуры и индивидуальности, и сейчас у нее даже появилась постоянная клиентура.

Эту работу она нашла вскоре после переезда в Нью-Джерси. Марине тут нравилось, и к тому же зарабатывала она неплохо. Но тревога за Валери нарастала. За последние несколько дней настроение дочери стало еще более мрачным. Она все больше отдалялась, хотя казалось, что дальше некуда. Эта перемена требовала от миссис Лонг присутствия дома днем, когда дочь возвращалась из школы.

Что бы она ни сказала, ее слова неизменно раздражали дочь. Но Марина решила все же попробовать обсудить ситуацию, начав так:

— Я намерена найти другую работу, которая позволит мне больше бывать дома. Так что начинаю поиск.

Валери, как обычно, бросила: «Как хочешь», давая понять, что говорить тут не о чем.

В пятницу утром, когда ее дочь не спустилась к завтраку, миссис Лонг сама поднялась к ней. Свернувшись калачиком на кровати, Валери спала крепким сном.

Повинуясь неосознанному порыву, мать бросилась к ней. На ночном столике лежал флакон из-под какого-то лекарства. Крышки на нем не было. Марина взяла флакон — это был прописанный ей от бессонницы «Эмбиен». Флакон был пуст.

Лонг взяла дочь за плечо и перевернула ее на спину. Она пыталась докричаться до спящей, но та даже не шелохнулась.

Потом Марина посмотрела на Валери — та была очень бледна, губы синие, дыхание поверхностное.

— Боже, только не это! — причитала женщина, хватая телефонную трубку и набирая 911.

69

В пятницу до обеда Стив и Фрэн улетели на Бермудские острова. Они приняли решение продлить свой отпуск на целую неделю, и Эйлин была рада, что мать согласилась на это. На ее глазах миссис Даулинг все больше погружалась в пучину депрессии и отчаянно нуждалась в перемене обстановки.

По дороге домой Эйлин вспомнила про почту. Она остановилась у ящика в конце подъездной дорожки и забрала скопившуюся корреспонденцию, а дома бросила все это на кухонный стол. Тут на глаза ей попался конверт, адресованный мисс Керри Даулинг. Это было письмо от «Мастеркард».

Эйлин помнила, как родители выдали ей самой кредитку накануне ее отъезда в университет. «Только на случай крайней необходимости», — улыбнувшись, напутствовал ее отец, отдавая себе отчет в том, что понятия крайней необходимости могут у них различаться. Должно быть, точно так же они поступили и в отношении Керри.

При обычных обстоятельствах Эйлин оставила бы конверт родителям. Но поскольку они отсутствовали, она решила его вскрыть.

В распечатке по расходам было всего две строчки. Первая оказалась счетом из шиномонтажа. «Это, скорее всего, за новую шину, которую отец велел ей купить», — подумала девушка.

Вторая строчка отражала сумму, потраченную в «Коуч-Хаус», кафе в Хэкенсэке. Керри заплатила 22,79 доллара. «Странно, — удивилась Даулинг. — В Волдвике и Парк-Ридже тоже есть кафе, и они находятся ближе к Сэддл-

Ривер. Ради чего Керри отправилась в такую даль?»

Увидев дату, когда ее сестра ездила в кафе, Эйлин пришла в еще большее изумление. Это было 25 августа, день ее вечеринки, день ее смерти.

Девушка достала свой мобильный и зашла в журнал сообщений. СМС о чем-то «ОЧЕНЬ ВАЖНОМ» пришла в 11.02 того же дня.

Она еще раз посмотрела на распечатку счетов. Почти двадцать три доллара — это многовато на одного человека. Должно быть, Керри за кого-то заплатила. И вскоре после этого она прислала сестре сообщение. Есть ли между этими событиями связь?

Керри была в кафе в субботу утром. Завтра тоже суббота. Наверняка будет работать та же смена официантов, что и тогда.

С кем же она могла встречаться? Может, с Аланом. Или это был кто-то из команды по лакроссу. Тогда стоит поговорить с этой девушкой.

Эйлин включила компьютер. Открыв страничку Керри на Фейсбуке, она распечатала оттуда несколько фотографий.

Это может оказаться пустой тратой времени, размышляла она. Однако то, чем Керри занималась в последний день своей жизни, может быть очень важно для следствия.

Мысль о том, что у нее, возможно, появился шанс выяснить, что же такое «очень важное» хотела обсудить с ней Керри, почти лишила девушку сна.

Она поднялась в четверть девятого, приняла душ и оделась, а через полчаса, пропустив завтрак, уже ехала в «Коуч-Хаус». «Они будут более разговорчивыми, если я закажу завтрак у них», — решила Даулинг.

На парковке напротив кафе, на ее счастье, было довольно мало машин. Официантки обслуживали посетителей, сидевших за стойкой. Эйлин огляделась. Если у Керри была с кем-то приватная беседа, она, скорее всего, выбрала столик на двоих, как можно дальше от других клиентов. Может, один из тех столиков у окна справа или слева.

— Сколько вас будет? — спросил стоящий за кассой мужчина.

— Я одна, — ответила Эйлин. — Я бы хотела столик у окна.

— Пожалуйста, — пригласил работник кафе. — Выбирайте, где вам нравится.

Даулинг села, и через минуту к ней подошла официантка и протянула меню.

— Могу я для начала налить вам кофе, дорогуша?

— Непременно.

Эйлин открыла папку с фотографиями, которую принесла с собой.

Когда официантка вернулась с кофе, она спросила:

— Вы ведь работаете по субботам. Были вы здесь утром в субботу, двадцать пятого августа?

Работница кафе задумалась.

— Погодите. Это было три недели назад. Да, я как раз вернулась из отпуска и в субботу была на работе.

— В то утро сюда приходила моя сестра. Она встречалась с кем-то за завтраком. Я пытаюсь выяснить, кто это был. Вы не посмотрите на снимки?

— Давайте, — согласилась официантка.

Даулинг разложила на столе несколько снимков.

— Вот эта девушка кажется мне знакомой. Я ее точно видела, — официантка указала на Керри.

— Это моя сестра, — сказала Эйлин.

— Боже мой! — охнула ее собеседница. — Так это же та самая девушка, которую убили в бассейне?

— К несчастью, это так, — тихо ответила Даулинг.

— Я обслуживала их в то утро. Они сидели за этим самым столиком.

Официантка наклонилась и стала разглядывать другие фото. Затем взяла групповой снимок команды по лакроссу и ткнула пальцем:

— Вот. Это девушка, которая плакала.

Она показывала на Валери.

70

Мардж удивилась, когда зазвонил ее телефон. Это был Гас Шрайбер, менеджер Джейми из «Акме».

Озадаченная его вниманием, она тут же принялась тараторить:

— О, мистер Шрайбер, спасибо вам за Джейми! Ему так нравится с вами работать. Я не знаю, что бы он делал, если бы не работал у вас в «Акме».

Возникло неловкое молчание, а потом Гас сказал:

— Миссис Чэпмен, я поэтому и звоню. Для нас в «Акме» главный приоритет — это наши клиенты. Ко мне обратились несколько наших покупателей и выразили озабоченность по поводу того, что Джейми работает у нас при сложившихся обстоятельствах. Я надеюсь, вы меня понимаете.

— Нет, я вас не понимаю. Пожалуйста, объясните, что вы имеете в виду.

— Миссис Чэпмен, после того, что произошло с Керри Даулинг, люди начинают нервничать, когда видят в супермаркете Джейми.

— Скажите им, что нервничать нужно из-за другого вашего сотрудника — болтуна Тони Картера! — возмутилась Мардж. — Вы очень хорошо знаете, что Джейми чертовски отличный работник. И так было все два года, что он трудится у вас. А теперь вы решили избавиться от него безо всякой причины. Вам должно быть стыдно.

— Миссис Чэпмен, в нашем районе полно магазинов, куда люди ходят за покупками. А я вынужден прислушиваться к жалобам наших покупателей.

— Вы готовы проявить вопиющую несправедливость по отношению к самому лояльному сотруднику. Как только я закончу этот разговор, я порву свою карточку «Акме» на куски. И вот что я вам скажу: у Джейми очень хороший адвокат, и он обязательно узнает о вашем звонке! — пообещала Мардж и бросила трубку.

Тут она услышала, что ее сын спускается вниз. Он был одет для работы.

— Мам, я пошел. Увидимся позже.

— Погоди, Джейми. Нам надо поговорить. Сядь, пожалуйста.

— Мам, я не хочу опаздывать. Я же отмечаю время прихода на работу.

— Джейми, — миссис Чэпмен принялась старательно подбирать слова, — иногда в магазинах, подобных «Акме», бывает слишком мало покупателей. Когда это происходит, то некоторым сотрудникам сообщают, что они не могут больше выходить на работу.

— Они что, собираются выгнать кого-то из моих друзей?

— Да, Джейми. И не только твоих друзей. Ты тоже больше не можешь там работать.

— Я не могу работать? Но мистер Шрайбер сказал, что я один из лучших работников.

— Я знаю, и ему очень жаль, что так получилось, — скривилась Мардж.

Джейми развернулся и начал подниматься по ступенькам. Когда он дошел до верхней, его мать услышала, как он заплакал.

71

Переделав с утра кое-какие дела, Майк вернулся к себе на квартиру. Ему совсем не улыбалось вечером тащиться в Нью-Брансуик, но иного случая встретиться со свидетелями по другому делу у него не предвиделось.

Он понимал, как непрофессионально было назначать встречу Эйлин только потому, что он хотел ее увидеть. Ему припомнилось любимое выражение матери: «У сердца всегда находятся причины, о которых разум ничего не знает». Он с детства помнил, что мать говорила так, когда сходились двое непохожих людей.

Прошлым вечером Уилсон ужинал с женщиной, с которой он изредка, но постоянно встречался, пока они учились на юридическом факультете. Она была привлекательна и умна, и ему нравилось быть с ней. Но он никогда не испытывал в ее присутствии тех эмоций, которые чувствовал, когда рядом была Эйлин.

Детектив напомнил себе, что ведет расследование убийства молодой девушки. Общение с родственниками жертвы, включая ее сестру, должно быть ограничено абсолютной необходимостью.

Несмотря на это, Эйлин Даулинг занимала все его мысли. Он поймал себя на том, что ищет повод позвонить ей в связи с расследованием и назначить встречу.

Образ Эйлин стоял перед его мысленным взором. Ее огромные карие глаза, обрамленные длинными ресницами, гармонировали с цветом ее одежды. Во время их первой встречи на ней был голубовато-фиолетовый пиджак и брюки в тон ему, подчеркивавшие ее элегантную фигуру и осанку. Иногда она распускала волосы, и они рассыпались по ее плечам. В эти моменты их сходство с Керри было неоспоримым. Или же она собирала волосы высоко на затылке, и Майк никак не мог решить, что ему больше нравится.

Эйлин поведала ему о своем женихе, которого четыре года назад убил нетрезвый водитель, и ему показалось, что сейчас в ее жизни не было другого мужчины. Она так рьяно защищала Джейми Чэпмена, которого полиция подозревает в убийстве ее сестры! Но это лишь доказывает, что она человек исключительной верности. А еще она вела беседы с подругами Керри, не оставляя надежды найти какую-нибудь зацепку, которая поможет следствию раскрыть преступление.

Помимо реакции Эйлин на появившиеся подозрения насчет Джейми Чэпмена, Уилсон видел, что, хотя Алан Кроули и находился под арестом, она сомневалась в его виновности. Тот, кто убил Керри, нанес ей сильный удар по затылку. Если это был не Джейми и не Алан, то этот третий не остановится ни перед чем, пытаясь скрыться от правосудия. Кроме того, Майкл знал, что Эйлин очень переживала за ученицу, которая была близка с Керри и сейчас находилась в депрессии. Сестра Керри тщательно избегала называть ее по имени, и следователь не рассчитывал, что она раскроет ему детали этой ситуации.

Зазвонил телефон, и детектив, бросив взгляд на дисплей, тут же ответил:

— Да, Эйлин.

— Майк, в самом начале вы просили меня подумать над тем, что могла иметь в виду Керри, когда прислала мне сообщение о некой важной проблеме, которую она собиралась обсудить со мной. Похоже, у меня есть кое-какие успехи.

— А именно? — нетерпеливо спросил Уилсон.

— Керри послала сообщение в одиннадцать ноль две. Я увидела в распечатке ее расходов по кредитке, что в то утро она ходила с кем-то в кафе. Официантка вспомнила Керри и сказала, что девушка, которая была с ней, плакала. Я показала ей фотографии подруг Керри. Она тут же опознала ту, которая завтракала с сестрой.

— И кто это?

— Ее имя вам ничего не скажет. Это Валери Лонг. Я вам про нее рассказывала. Она играла с Керри в команде по лакроссу. Насколько я поняла, Керри взяла ее под свое крыло, и эта девочка очень тяжело переживает ее смерть. Судя по времени, сестра прислала мне сообщение вскоре после этого завтрака.

— Вы представляете, что они могли обсуждать?

— Нет, но в понедельник я постараюсь найти предлог, чтобы вызвать к себе Валери, и поговорю с ней.

— Эйлин, если эта девушка сказала Керри нечто, что имело отношение к ее смерти, вы подвергнете себя опасности. Я предлагаю вам вызвать ее к себе и дать ей понять, что Керри собиралась посвятить вас в их разговор. Скажите, что Керри намеревалась все вам рассказать и что она хотела бы, чтобы Валери поделилась этим с вами. Мы можем обсудить, насколько целесообразно будет мне допросить эту девушку.

— Именно это я и хотела сделать, — сказала Даулинг. — Спасибо вам, Майк.

— Эйлин, я получил большое удовольствие от нашего совместного ужина. Когда дело будет закончено...

— Да. — Девушка не дала ему договорить. — Я хотела бы, чтобы вы пригласили меня на свидание.

72

В воскресенье, после десятичасовой мессы, Эйлин вернулась домой, приготовила себе завтрак и некоторое время наслаждалась тишиной, читая газеты. Девушка поймала себя на том, что ей совсем не хочется приступать к работе, которую она принесла из школы. Еще одну чашку кофе, сказала она себе, потом на часик схожу в спортзал, а уж после этого займусь делом.

Даулинг уже вставала из-за стола, когда зазвонил телефон. Номер звонившего не определился. Она ответила.

— Я говорю с Эйлин Даулинг? — спросил женский голос.

— Да, это я. Кто это?

— Эйлин, это Марина Лонг. Простите, что беспокою вас по домашнему телефону, я не знаю вашего сотового.

— Ничего страшного, Марина. Я думала о вас и о вашей дочери. В пятницу она не пришла в школу. У нее все в порядке?

— Нет, в смысле да, сейчас все немного лучше, — помолчав, ответила Лонг.

— Марина, я слышу по голосу, что вы расстроены. Что произошло?

— В пятницу Валери пыталась покончить с собой...

— О боже, как она сейчас?!

— Нормально. Я провела с ней в больнице всю пятницу. Ее оставили там на ночь. Утром к ней приходил психиатр. Он разрешил забрать ее домой. Вчера она проспала почти весь день, но сегодня ей вроде стало лучше. Я думаю, она должна побыть дома несколько дней.

— Марина, об этом не беспокойтесь. Я все улажу в школе. Вы не возражаете, если я навещу ее? Я могу прямо сейчас приехать. Обещаю, я долго у нее не задержусь.

— Я знаю, что вы беспокоитесь за нее. Так что, пожалуйста, приезжайте.

Бледная, как привидение, Валери Лонг лежала на диване, обложенная подушками и накрытая одеялом. Эйлин подошла, обняла ее и присела рядом на кресле.

— Валери, мы так переживаем за тебя. Если бы с тобой что-то случилось, это всем нам разбило бы сердце. Я хочу, чтобы ты знала, что мы все очень любим тебя и хотим тебе помочь. Если тебе нужно с кем-то поговорить, я всегда рядом.

Девочка посмотрела на нее.

— Неужели вы не понимаете? Я не могу вам ничего рассказать. — Она отвернулась и разрыдалась.

Даулинг вернулась домой. Переступив порог, она тут же попыталась позвонить Майку, но он оказался недоступен, и Эйлин оставила ему сообщение о попытке самоубийства Валери.

Уилсон был на пробежке у озера Шлегель. Позже он прослушал сообщение Эйлин и поспешил ей перезвонить, но она не взяла трубку. Интуиция подсказывала ему, что та встреча за завтраком и то, что произошло потом с Керри, были связаны.

Время дорого, подумал следователь. Пока идет следствие, двое подозреваемых должны мучиться. Он нашел в Интернете адрес Лонгов в Сэддл-Ривер. Других адресов у них не было.

Майкл позвал с собой коллегу. Они договорились встретиться позже, когда он все устроит.

Двадцать минут спустя сотовый Уилсона вновь зазвонил. Это была Эйлин Даулинг.

— Простите, я пропустила ваш звонок. Оставила телефон дома, пока была в спортивном зале.

— Эйлин, я все больше беспокоюсь, что смерть Керри могла быть как-то связана с тем завтраком в кафе. Особенно после того, как эта девочка попыталась покончить с собой. Я не хочу ждать ни минуты. Со мной будет детектив-женщина. Она очень опытная и деликатная. Прошу вас, позвоните родителям Валери и попросите их принять нас сегодня же. Они вам доверяют. Я думаю, будет лучше, если им позвоните вы.

— Хорошо, я свяжусь с ними прямо сейчас и перезвоню вам.

Эйлин снова связалась с детективом через десять минут.

— Майк, мне пришлось убеждать их. Они считают, что Валери все еще очень слаба. Они ждут вас в шесть часов, но при условии, что, если она расстроится, вы немедленно уйдете.

— Большое спасибо, Эйлин. За мной ужин. Как насчет сегодня в семь тридцать? Я приеду сразу после встречи с Валери.

— Договорились.

73

Готовясь к встрече с Майком, Эйлин приняла душ и выбрала наряд: темно-синюю блузку и в тон ей джинсы. Когда она закончила наносить макияж, раздался звонок. Увидев имя, высветившееся на экране телефона, она слегка удивилась.

— Алло, миссис Чэпмен.

— Это Эйлин Даулинг?

— Да, это я.

— Эйлин, меня зовут Бренда Нимейер. Я подруга Мардж. Это ее телефон. Она просила меня вам позвонить.

— С ней все в порядке?

Даулинг слышала, как говорившая с ней женщина с трудом сдерживает рыдания.

— Я звоню из больницы в Паскак-Вэлли. Мардж, кажется, перенесла инфаркт. У нее в сумочке была записка, что в экстренном случае надо звонить мне, чтобы я могла принимать решения за нее.

— Боже мой! — произнесла Эйлин. Она ожидала чего-то подобного. Можно было только представить, под каким давлением находилась все эти последние недели миссис Чэпмен. — Бренда, чем я могу помочь?

— Когда Мардж увозили на операцию, она очень переживала за Джейми. Она просила вас пойти к нему и побыть с ним некоторое время. Скажите ему, что все будет хорошо. Помогите приготовить что-нибудь на ужин. Мардж безумно волнуется — если что-то с ней случится, кто останется с ним?

— Передайте Мардж, что я, конечно, помогу. Позвоните мне, пожалуйста, как только будут новости.

— Хорошо, дорогая. Мардж всегда говорила мне, какая у вас замечательная семья и как ей повезло с соседями.

Попрощавшись, Эйлин позвонила Майку и сообщила, что ее соседка попала в больницу.

— Я иду к Джейми, — сказала девушка. — Приходите позже к ним домой.

— Ладно, только встретимся на улице. Помните, что я не могу разговаривать с Джейми.

74

Направляясь к Валери, Майкл позвонил детективу Анджеле Уокер, которая уже была в пути, и изложил ей последовательность событий, развернувшихся с момента обнаружения тела Керри. Уилсон был уверен, что именно после завтрака в день своей смерти Керри послала сестре сообщение о том, что произошло нечто очень важное.

Майк не просто так вызвал Анджелу. Сорокалетняя афроамериканка обладала особым даром нажимать на нужные кнопки, когда надо было войти в контакт с молодежью. Он сам видел, как она жестко вела допрос восемнадцатилетнего наркодилера и как проявляла невероятную чуткость к десятилетнему мальчику, ставшему свидетелем убийства собственных родителей. Если и был шанс разговорить Валери, то сделать это могла только Уокер.

Марина Лонг встретила следователей в дверях и провела их в кабинет, где на диване лежала Валери.

— Если что, мы с Уэйном в соседней комнате, — сказала она и удалилась.

Майк и Анджела сели напротив девочки. Глаза у нее были опухшими и очень грустными. Посмотрев на гостей, она тут же уставилась в пространство прямо перед собой.

— Валери, — заговорил Уилсон. — Я хотел бы для начала узнать, как ты себя чувствуешь.

— Нормально, — еле слышно произнесла Лонг.

— Это детектив Анджела Уокер. Она работает со мной по делу Керри Даулинг.

Девочка продолжала смотреть перед собой.

— Валери, — не останавливался Уилсон, — я знаю, что вы дружили с Керри Даулинг. Мне известно, как тяжело терять друзей. Я уверен, что ты хочешь, чтобы тот, кто убил Керри, был пойман.

Лонг продолжала пялиться в пустоту, но ее лицо стало более хмурым.

— Валери, в одиннадцать часов утра, в день своей смерти, Керри послала сообщение своей сестре Эйлин, находившейся в Лондоне. Керри написала, что должна обсудить с сестрой нечто очень важное. Сообщение было послано сразу после того, как она побывала в кафе «Коуч-Хаус» в Хэкенсэке. Ты завтракала с Керри в тот день?

— Нет, — ответила Лонг и натянула одеяло почти до самого подбородка.

— Валери, официантка, которой показали фотографии подруг Керри, опознала тебя.

Девочка затрясла головой, и на глаза у нее навернулись слезы. Она начала тяжело дышать и сжала кулаки.

Майк открыл рот, чтобы задать следующий вопрос, но почувствовал, как Анджела дотронулась до его руки. Он понял, что она хочет взять беседу в свои руки.

— Валери, дорогая, не возражаешь, если я присяду к тебе на диван? — спросила Уокер. — Я предпочитаю быть поближе к тому, с кем разговариваю.

Лонг не ответила, но подвинулась, освобождая на диване место для гостьи.

— Так лучше, — сказала Анджела. Теперь она была в полуметре от собеседницы. — Сколько тебе лет?

— Шестнадцать.

— Шестнадцать, — повторила Уокер. — А моей дочери семнадцать. Она очень на тебя похожа. Красотка. Спортом увлекается.

— Как ее зовут? — спросила Валери.

— Пенелопа. Она ненавидит свое имя. Требует, чтобы ее называли Пенни. Говорит, что Пенелопа — клоунское имя.

На лице Лонг мелькнула тень улыбки.

— У вас есть еще одна общая черта, — продолжала сотрудница полиции. — Когда что-то ее беспокоит, она не может заставить себя заговорить об этом. Так и носит все в себе.

Девочка отвернулась от Анджелы и стала смотреть в сторону.

— Валери, дорогая, — сказала Уокер. — Прошу тебя, посмотри на меня. Посмотри мне в глаза.

Лонг повернула голову к собеседнице.

— Можно я буду держать тебя за руки? — спросила та.

Валери кивнула и Анджела взяла ее руки в свои ладони.

— Не отводи взгляд, дорогая. Я знаю, что ты хранишь какую-то ужасную тайну. Есть только один способ изменить ситуацию — ты должна все рассказать.

Девочка покачала головой.

— Валери, тебе ничего не угрожает. Что бы ни причиняло тебе боль или ни пугало тебя, я в состоянии это остановить. — Произнося это, Уокер отвела упавшую на лицо девочки прядь волос.

— Я не могу, — прошептала Валери тихо, почти по-детски.

— Можешь, солнышко. Тебе нечего больше бояться. Ты в безопасности.

Девушка тяжело задышала, и ее глаза вновь наполнились слезами.

— Все хорошо, дорогая. Ты в безопасности, — повторила Анджела.

— Он меня насилует! — выкрикнула Валери и, упав в ее объятия, разрыдалась.

75

Эйлин торопливо прошла мимо веранды, пересекла двор и обогнула изгородь, разделявшую участки. Вечер был на удивление прохладным —

небо обложили тучи, а солнце уже ушло за горизонт.

Даулинг видела, что в комнате Джейми наверху горит свет. Через окно было слышно, что у него работает телевизор. Она позвонила в дверь, но ответа не дождалась.

Тогда девушка обошла дом и стала звать Чэпмена. Он появился в окне и пригласил ее зайти в дом.

Поднимаясь по ступенькам, Эйлин пыталась припомнить, когда она последний раз сидела со своим особым соседом. Почти десять лет назад, вспомнилось ей.

Она постучалась к Джейми. Дверь была не заперта. Юноша лежал на кровати, уставившись в потолок. Телевизор был уже выключен. Даулинг посмотрела на Джейми и поняла, что он плакал.

— Мама попала в больницу, — сказал он. — Ее увезли на «Скорой». Теперь она умрет и улетит на небо, как папа.

Эйлин присела на край его кровати.

— Джейми, многие люди, которые попадают в больницу, выздоравливают и возвращаются домой. Мы должны надеяться и молиться, чтобы твоей маме стало лучше и чтобы все было хорошо.

— Мама из-за меня оказалась в больнице. Я плохой. Меня посадят в тюрьму, потому что я сделал плохую вещь. Я купался с Керри.

По щекам молодого человека потекли слезы. Его тело вздрагивало от тихих рыданий.

«Боже мой, — думала Эйлин. — Он даже не понимает, в чем его обвиняют».

Она погладила его по рукам, и он протянул свои большие и сильные руки и обнял ее. Его объятья были крепкими, почти болезненно крепкими. Несмотря на все, что он рассказывал, Даулинг не могла поверить, что этот нежный великан мог обидеть Керри. Может быть, это был шанс попытаться выяснить, что же случилось с ее сестрой?

Дав Чэпмену время успокоиться, Эйлин встала и подошла к окну. Фонари на ее участке зажглись и осветили туманные сумерки.

Она вспомнила курс психологии, который проходила в колледже. Одна очень любопытная лекция была посвящена стратегии воспроизведения детьми, ставшими жертвой преступления, нанесенной травмы как способа справиться с ней и пережить ее. Была ли ночь гибели Керри травматичной для Джейми? Просил ли его кто-нибудь изложить случившееся в виде истории?

— Джейми, ты ужинал? — спросила гостья.

— Нет.

— Ты все еще любишь китайскую еду?

— Курятину с кунжутом, белый рис и суп с клецками, — ответил парень. Он уже улыбался как ни в чем не бывало.

— Отлично, я закажу тебе китайскую еду, но сначала сыграем в одну игру. Притворимся, что сейчас тот день, когда у Керри была вечеринка.

Они начали с того момента, когда Джейми смотрел в окно.

— У Керри были гости, — сказал он. — Все ушли домой, и Керри осталась одна.

— Так, значит, Керри была одна. Что она делала?

— Она прибиралась. Потом пришел Алан Кроули. Он любит Керри. Он ее поцеловал и обнял.

— Откуда он появился? — спросила Эйлин, указывая на двор.

Джейми был сбит с толку ее вопросами. Даулинг взяла его за руку.

— Давай-ка пойдем ко мне во двор. Я хочу, чтобы ты мне все показал. Все, что ты делал и что видел.

76

Валери Лонг проплакала целую минуту, уткнувшись головой в плечо Анджелы.

— Кто это делает, Валери? — спросила Уокер. — Кто делает такое с тобой?

— Я не могу сказать. Я рассказала Керри, и она погибла. Это все из-за меня.

Голос девочки трепетал от страха и горя. Анджела принялась укачивать ее.

— Валери, Валери, тебе ничто не угрожает. Ты в безопасности.

На крик дочери «Он меня насилует!» в комнату ворвались ее мать и отчим.

— Валери! Валери! — кричала Марина.

Майк уставился на Уэйна. Эйлин упоминала, что девочка недолюбливает отчима. Неужели это он?

Когда Лонг бросился к падчерице, Уилсон вскочил. Уэйн упал на колени перед диваном, на котором лежала девочка.

— Валери, детка, скажи нам, кто это. Ты должна сказать.

— Это... это мой тренер, Скотт Кимбелл. Он это сделал. И он не остановится.

— Тренер! — воскликнула Марина. — Бог мой, а мы позволили ему прийти в наш дом! Он был у нас сегодня, он так переживал за Валери... Мы даже оставили его наедине с ней.

— Он предупредил меня, чтобы я никому ничего не говорила. И еще добавил: «Эйлин должна запомнить, что произошло с Керри», — всхлипывала Валери.

Уэйн поднялся.

— Я убью его, — мрачно заявил он.

Майкл был ошеломлен не меньше других. Должно быть, Скотт Кимбелл каким-то образом узнал, что Валери доверилась Керри. Детектив схватил телефон, вошел в «Контакты» и выбрал номер мисс Даулинг. Девушка не ответила на звонок. Она в опасности?

— Я должен поехать к Эйлин, — решил Уилсон.

— Поезжай, — сказала Анджела. — Я останусь тут.

Майк поспешил прочь из комнаты, выбежал на улицу и устремился к машине. По дороге он позвонил в полицейский участок Сэддл-Ривер.

— Немедленно высылайте наряды к дому Чэпменов, Уэверли-роуд, пятнадцать. Там может находиться Скотт Кимбелл, белый мужчина, тридцать с небольшим, насильник и возможный убийца.

77

Они спустились, вышли через заднюю дверь и пересекли лужайку. Когда они ступили на участок Даулингов, Чэпмен остановился. Опустив голову, юноша принялся ходить кругами. Он искал что-то в траве.

— Что ты делаешь, Джейми? — спросила Эйлин.

— Ее тут нет, — сказал он.

— Ты о чем?

— Я про клюшку для гольфа. Она лежала в траве.

— Стой тут, Джейми.

Эйлин сбегала в гараж и, схватив клюшку, принесла ее своему спутнику.

— Она лежала здесь, — продолжил он, положив клюшку на землю, а потом подобрал ее. — Я пришел, чтобы помочь Керри прибраться.

— Покажи мне, что ты с ней сделал.

Чэпмен взял клюшку и отнес ее к бассейну. Осмотрев конец клюшки, он заметил:

— Эта клюшка чистая. Та, другая, была грязная. — И он положил ее на шезлонг, стоявший у края бассейна.

Значит, когда Джейми подобрал клюшку и отнес ее к бассейну, он считал, что таким образом помогает Керри прибраться, поняла Эйлин. Это объясняет, как его пальцы оказались на орудии убийства.

Она шла за ним по пятам. Вскоре они остановились перед верандой.

— Ты здорово справляешься, Джейми. А Алан приходил к Керри после вечеринки?

— Да.

— Покажи мне, что он сделал, откуда он появился.

Молодой человек зашел за дом.

Там он развернулся и пришел обратно. Он поднял клюшку с шезлонга и положил ее на каменный пол веранды.

— Так сделал Алан, — объяснил Джейми и, снова забрав клюшку, прислонил ее к стулу, стоявшему на веранде.

— А что Алан сделал потом? — спокойно спросила Эйлин. — Представь, что я — это Керри. Повтори то, что сделал Алан.

Чэпмен приблизился к ней, обнял ее и поцеловал в лоб. А потом удалился и скрылся за домом.

Когда Джейми вернулся, Даулинг сказала ему:

— Мы играем в игру. Я хочу, чтобы ты опять притворился, что я — это Керри. Покажи мне, что сделал Здоровяк. Откуда он пришел?

Юноша направился к другой стороне дома, обращенной к лесу.

Эйлин почувствовала, как у нее в кармане завибрировал телефон. Вытащив его, она посмотрела на экран. «Майк Уилсон». Но у нее все так хорошо получалось с Джейми, что она решила не прерываться. Перезвоню ему потом, решила она.

Чэпмен на цыпочках крался через двор. Приближаясь к веранде, он подал Эйлин знак, чтобы она встала поближе к бассейну.

— Повернись, — велел он. Девушка встала к нему спиной, но продолжила следить за ним через плечо. Джейми подхватил клюшку, которая была прислонена к стулу. Дойдя до Даулинг, он поднял клюшку высоко над головой и принялся размахивать ею.

— Хорошо, Джейми, достаточно, — попросила Эйлин, пытаясь защититься руками от мелькавшей клюшки.

— Вот что сделал Здоровяк.

— Значит, Здоровяк вышел из леса. Он взял клюшку и ударил Керри. Что он сделал потом?

Кивнув, парень закинул клюшку в траву за бассейном.

— Джейми, ты — тот Здоровяк, который ударил Керри? — буквально выдавливая из себя каждое слово, спросила Эйлин.

Чэпмен был сильно удивлен этим вопросом. Он покачал головой и оглянулся. И когда он посмотрел в сторону леса, выражение его лица резко изменилось.

— Эйлин, это он. Он ударил ее. Этот Здоровяк толкнул ее в воду! — закричал юноша, указывая в сторону леса.

78

Майк промчался по Чеснат-Ридж-роуд и свернул на Уэверли-роуд. Инстинкт подсказал ему, что сирену включать не стоит. Если Кимбелл пришел за Эйлин, не стоит предупреждать его о своем появлении.

Детектив въехал на подъездную дорожку Чэпменов. Пробежав два десятка метров до входной двери, он позвонил и, дожидаясь, пока ему откроют, расстегнул кобуру под мышкой.

— Давай же, Эйлин, открывай! — громко позвал он и еще раз нажал кнопку звонка, а потом начал стучать ладонью по двери.

79

При виде Скотта Кимбелла Эйлин остолбенела. Он шел прямо на них с пистолетом в руке. У него на лице играла кривая ухмылка. А потом он и вовсе начал хохотать.

Тренер посмотрел на Джейми.

— Однажды после тренировки по лакроссу ты рассказал мне, что твой папаша называл тебя Здоровяком. А я ответил тебе, что меня отец тоже так называл.

— Скотт, что ты здесь делаешь?! — закричала изумленная Даулинг. — Ты сошел с ума?

— Нет, это ты сошла с ума, Эйлин, — ответил он. — Так же как и Керри. Выведываете у Валери то, что вас не касается. — Кимбелл снова захохотал. — Что такого есть в тебе и в твоей сестре, что люди сами рассказывают вам то, о чем должны помалкивать? В прошлом месяце я понял, что Валери выходит из-под контроля. Еще немного — и она кому-нибудь проболтается. У меня появилось ощущение, что кто-то займет место твоей сестры. Тогда я поставил маячок на ее машину. Он до сих пор там, а на этой машине, между прочим, ездишь ты. Так я узнал, что ты виделась утром с Валери. Но вернемся к Керри. В ту субботу, когда Керри повезла Валери в кафе, я проследил за ними. Они сели у окна. За тем же столиком сидела и ты, когда показывала официантке фотографии. О чем они говорили, я не слышал, но видел, что Валери выбалтывает ей все.

— Ты убил Керри! За что?! — вскричала Даулинг.

— Это Валери виновата. Она меня выдала.

— Но за что ты убил мою сестру?

— Эйлин, я был вынужден ее убить. Валери легко было контролировать. А вот Керри — не тот случай. К счастью, я прослышал про ее маленький пивной сабантуйчик. Подождал в лесу, пока Керри не осталась одна. Я уже собрался выходить, как кто, вы думаете, является собственной персоной? — наш Ромео, Алан Кроули.

— Он обнял Керри и поцеловал, — вставил Чэпмен.

— Я знаю, Джейми. Я за ними следил. Но вот чего я не учел, и это плохая новость для тебя, Джейми, так это того, что ты тоже за ними наблюдаешь...

— Ты — трус, Скотт, — перебила его Даулинг. — Ты прокрался к моей сестре и...

— О, это не было запланировано, Эйлин. Я собирался ее пристрелить. Но когда Алан подобрал клюшку и отнес ее на веранду, а потом свалил, я решил, скажем так, сымпровизировать.

Девушка пыталась придумать, как заставить Кимбелла продолжать говорить. Она вспомнила про непринятый звонок от Майка. «Я должна тянуть резину, пока он не приедет!»

Тренер тем временем приближался к ней.

— Скотт, не надо этого делать! — взмолилась Даулинг.

— О да, надо-надо, Эйлин. Если убрать со сцены тебя и твоего друга Джейми, Валери будет держать рот на замке. Как и раньше.

80

Может, она отвела Джейми к себе домой? — предположил Майк. Он вернулся было к машине, но потом вспомнил, что можно по-быстрому пройти напрямую, через задний двор. Следователь пошел в обход дома Чэпменов и увидел, что во дворе у Даулингов горят фонари. Он выдохнул с облегчением, когда заметил Джейми и Эйлин у бассейна, и уже открыл было рот, чтобы окликнуть ее, но замер. Девушка разговаривала не с Чэпменом. Оба они смотрели в ту сторону, где участок граничил с лесом. Эйлин стояла, загораживая собой Джейми.

Уилсон бесшумно прошел через двор Чэпменов и подобрался к изгороди, разделявшей участки. Он увидел мужчину с пистолетом, который надвигался на них. Вдали послышался вой полицейских сирен.

Майкл достал пистолет и, подложив левый кулак под правую руку, приготовился выстрелить.

— Кимбелл! — закричал он. — Стоять, не двигаться! Брось оружие!

Скотт подался на звук голоса. Эйлин повернулась, толкнула Джейми на землю и прикрыла его своим телом.

Тренер дернулся обратно, наставил пистолет на нее и выстрелил. Пуля пролетела в нескольких дюймах над ее головой.

Первый выстрел Майка попал Скотту в левое плечо. На секунду он расслабился, но тут же поднял руку с оружием и начал палить в ответ. Следующий выстрел Уилсона раздробил ему два ребра, сбив его с ног. Пистолет выпал у него из рук и полетел через веранду.

Детектив бросился к веранде, продолжая держать корчившегося на земле Скотта под прицелом. Он слышал, что сирены воют уже перед домом Чэпменов. Взвизгнули тормоза, захлопали дверцы машин.

— Сюда! — закричал Уилсон полицейским, которые бежали к дому. Выставив вперед свой значок, он указал на Кимбелла и приказал: — Вызовите ему «Скорую» и арестуйте.

Эйлин помогала Джейми встать на ноги.

— Вы не ранены? — поспешил к ним Майк. Девушка молча обняла его.

— Здоровяк хотел нас застрелить! — закричал Чэпмен. — Это не очень-то хорошо.

— Слава богу, вы оба целы! — Следователь обнял Эйлин.

— Тебе не удастся избежать ужина со мной, — прошептала она. — Концепция меняется. Мы будем есть китайскую еду вместе с Джейми.

81

Мардж лежала в палате интенсивной терапии. Присоединенные к ее груди датчики контролировали работу сердца.

Операция прошла успешно. По мере того как женщина отходила от наркоза, к ней возвращалась тревога за сына.

В дверь постучали. Вошел отец Фрэнк.

— Как ваши дела, Мардж?

— Трудно сказать, но вроде ничего.

— А у меня новость, которая точно прибавит вам сил. Джейми дома, они с Эйлин заказали на ужин китайскую еду. Она останется сегодня ночевать у вас.

Священник решил не упоминать, что Джейми и Эйлин чуть не пристрелили.

— Полиция арестовала Скотта Кимбелла, школьного тренера по лакроссу, — начал он. — Есть стопроцентная уверенность, что это он убил Керри Даулинг. Выходит, он тот Здоровяк, о котором говорил Джейми.

Миссис Чэпмен понадобилось не меньше минуты, чтобы осознать последствия этой новости.

— Слава Богу! — принялась она горячо молиться. — Слава Господу и Пресвятой Богородице!

82

Алан и его родители сидели в кабинете. Юноше казалось, что с тех пор, как они узнали о возможном участии Джейми в убийстве Керри, они беспрестанно смотрели новости. Передавали репортаж дня. Женщина с микрофоном стояла на фоне средней школы. «Сэддл-Ривер, Нью-Джерси. Тренер по лакроссу Скотт Кимбелл был арестован за убийство Керри Даулинг».

«Невозможно, — подумал Алан. — Не может такого быть».

Однако все было именно так. В полном оцепенении он дослушал подробности покушения Кимбелла на Эйлин и Джейми. Мать вскрикнула от облегчения, а у него на глаза навернулись слезы.

— Не могу поверить, что все кончилось, — сказал Алан. — И для меня, и для Джейми. Ну теперь-то я могу ехать в Принстон!

83

Фрэн и Стив ужинали в ресторане отеля «Гамильтон Принцесс» на Бермудах. Столики вокруг них пустовали. Сообщение поступило одновременно на оба их сотовых. Эйлин писала: «Посмотрите и сразу же позвоните мне!!!!!!!!!»

Озадаченная миссис Даулинг подсела к мужу. Он зашел на сайт Си-би-эс — в разделе новостей транслировали новость об аресте Скотта Кимбелла за убийство Керри Даулинг и о том, как Эйлин спасла жизнь Джейми, когда Кимбелл попытался убить их.

Осознав, что они могли потерять и вторую дочь, супруги упали друг другу в объятия.

— Фрэн, Фрэн, — срывающимся от волнения голосом произнес Стив, — только подумай, что могло произойти!

Исполненная чувства облегчения и благодарности, его жена была не в состоянии вымолвить ни слова.

— Поехали домой, — прошептала она наконец. — Я должна обнять Эйлин.

ЭПИЛОГ

Три месяца спустя

Скотту Кимбеллу было предъявлено обвинение, пока он залечивал раны на больничной койке. Ему вменялись убийство Керри Даулинг, покушение на убийство Эйлин Даулинг и Джейми Чэпмена, незаконное владение оружием и изнасилование Валери Лонг при отягчающих обстоятельствах.

Прокурор заверил Валери и ее родителей, что по всем обвинениям Кимбелл получит столько, что больше никогда не выйдет на свободу. И что, если девочка не хочет, может не свидетельствовать против него.

Валери послушалась родителей и обратилась к психотерапевту, чтобы избавиться от последствий того, что сделал с ней Кимбелл, а также от многочисленных личных потерь, которые ей пришлось пережить. Ей запало в душу, как яростно отреагировал Уэйн, когда узнал про Кимбелла. Впервые за все время она увидела в нем отца.

Два стента[1], которые хирурги установили в сердце Мардж, значительно улучшили ее здоровье. Но

---

[1] Конструкция для расширения просвета пораженного органа.

она была убеждена, что излечить ее может только одно: снятие бремени подозрения с Джейми.

Джейми был рад, что менеджер «Акме» предложил ему вернуться на работу. По настоянию Мардж он получил прибавку к зарплате.

Принстон немедленно восстановил Алана на первом курсе, и он должен был начать учебу с зимнего семестра. Юноша уже считал дни до своего отъезда в университет. Три месяца назад он и понятия не имел, чем хотел бы заняться в жизни, а теперь был практически уверен, что станет адвокатом.

Пять дней в неделю он подрабатывал на рождественских распродажах в магазине «Нордстром». Эту работу нашла для него мать.

С того момента как Эйлин и Майк обнялись после перестрелки, оба поняли, что так и останутся вместе навсегда. Пожениться они решили осенью, после первой годовщины со дня гибели Керри. Фрэн и Стив будут до конца своих дней скорбеть по Керри, но они были рады узнать, что их старшая дочь и детектив Уилсон нашли друг друга. Фрэн мечтала о том дне, когда она будет нянчить внуков.

На свадьбе отец Фрэнк займет почетное место. Родители Майка полюбили Эйлин и от всего сердца одобрили выбор сына.

Отец Фрэнк поделился с Эйлин, Майком, Фрэн и Стивом высказыванием Розы Кеннеди: «После бури начинают петь птицы. Почему бы и людям не научиться наслаждаться любым количеством отпущенного им солнечного света?»

Литературно-художественное издание

Мэри Хиггинс Кларк

Я СЛЕЖУ ЗА ТОБОЙ

Ответственный редактор *Д. Субботин*
Редактор *Т. Алексеева*
Художественный редактор *С. Власов*
Технический редактор *О. Лёвкин*
Компьютерная верстка *С. Кладов*
Корректор *В. Кочкина*

ООО «Издательство «Эксмо»
123308, Москва, ул. Зорге, д. 1. Тел.: 8 (495) 411-68-86.
Home page: www.eksmo.ru   E-mail: info@eksmo.ru.
Өндіруші: «ЭКСМО» АҚБ Баспасы, 123308, Мәскеу, Ресей, Зорге көшесі, 1 үй.
Тел.: 8 (495) 411-68-86.
Home page: www.eksmo.ru   E-mail: info@eksmo.ru.
Тауар белгісі: «Эксмо»
Интернет-магазин : www.book24.ru
Интернет-дүкен : www.book24.kz
Импортёр в Республику Казахстан ТОО «РДЦ-Алматы».
Қазақстан Республикасындағы импорттаушы «РДЦ-Алматы» ЖШС.
Дистрибьютор и представитель по приему претензий на продукцию,
в Республике Казахстан: ТОО «РДЦ-Алматы»
Қазақстан Республикасында дистрибьютор және өнім бойынша арыз-талаптарды
қабылдаушының өкілі «РДЦ-Алматы» ЖШС,
Алматы қ., Домбровский көш., 3-а, литер Б, офис 1.
Тел.: 8 (727) 251-59-90/91/92; E-mail: RDC-Almaty@eksmo.kz
Өнімнің жарамдылық мерзімі шектелмеген.
Сертификация туралы ақпарат сайтта: www.eksmo.ru/certification
Сведения о подтверждении соответствия издания согласно законодательству РФ
о техническом регулировании можно получить на сайте Издательства «Эксмо»
www.eksmo.ru/certification
Өндірген мемлекет: Ресей. Сертификация қарастырылмаған.

Подписано в печать 30.08.2018. Формат 80x100 ¹/₃₂.
Гарнитура «Petersburg». Печать офсетная. Усл. печ. л. 13,33.
Тираж 3000 экз. Заказ № 9372.

Отпечатано в ОАО «Можайский полиграфический комбинат».
143200, г. Можайск, ул. Мира, 93.
www.oaompk.ru, www.оаомпк.рф тел.: (495) 745-84-28, (49638) 20-685

ISBN 978-5-04-097757-4

16+